劉福春・李怡 主編

民國文學珍稀文獻集成

第一輯

新詩舊集影印叢編　第 7 冊

【胡懷琛卷】

大江集

上海：國家圖書館 1921 年 3 月版

胡懷琛 著

胡懷琛詩歌叢稿

上海：商務印書館 1926 年 7 月版

胡懷琛 著

花木蘭文化出版社

國家圖書館出版品預行編目資料

大江集／胡懷琛詩歌叢稿／胡懷琛 著 — 初版 — 新北市：花木蘭文化出版社，2016

〔民 105〕

112 面／252 面；19×26 公分

（民國文學珍稀文獻集成・第一輯・新詩舊集影印叢編 第 7 冊）

ISBN：978-986-404-622-5（套書精裝）

831.8 105002931

ISBN-978-986-404-622-5

9789864046225

民國文學珍稀文獻集成・第一輯・新詩舊集影印叢編（1-50 冊）

第 7 冊

大江集
胡懷琛詩歌叢稿

著　　者　胡懷琛
主　　編　劉福春、李怡
企　　劃　首都師範大學中國詩歌研究中心
　　　　　北京師範大學民國歷史文化與文學研究中心
　　　　　（臺灣）政治大學民國歷史文化與文學研究中心
總 編 輯　杜潔祥
副總編輯　楊嘉樂
編　　輯　許郁翎
出　　版　花木蘭文化出版社
社　　長　高小娟
聯絡地址　235 新北市中和區中安街七二號十三樓
　　　　　電話：02-2923-1455／傳眞：02-2923-1452
網　　址　http://www.huamulan.tw 信箱 hml 810518@gmail.com
印　　刷　普羅文化出版廣告事業
初　　版　2016 年 4 月
定　　價　第一輯 1-50 冊（精裝）新台幣 120,000 元

大江集

胡懷琛 著

胡懷琛（1886-1938），安徽涇縣人。

國家圖書館（上海）一九二一年三月出版。原書三十二開。

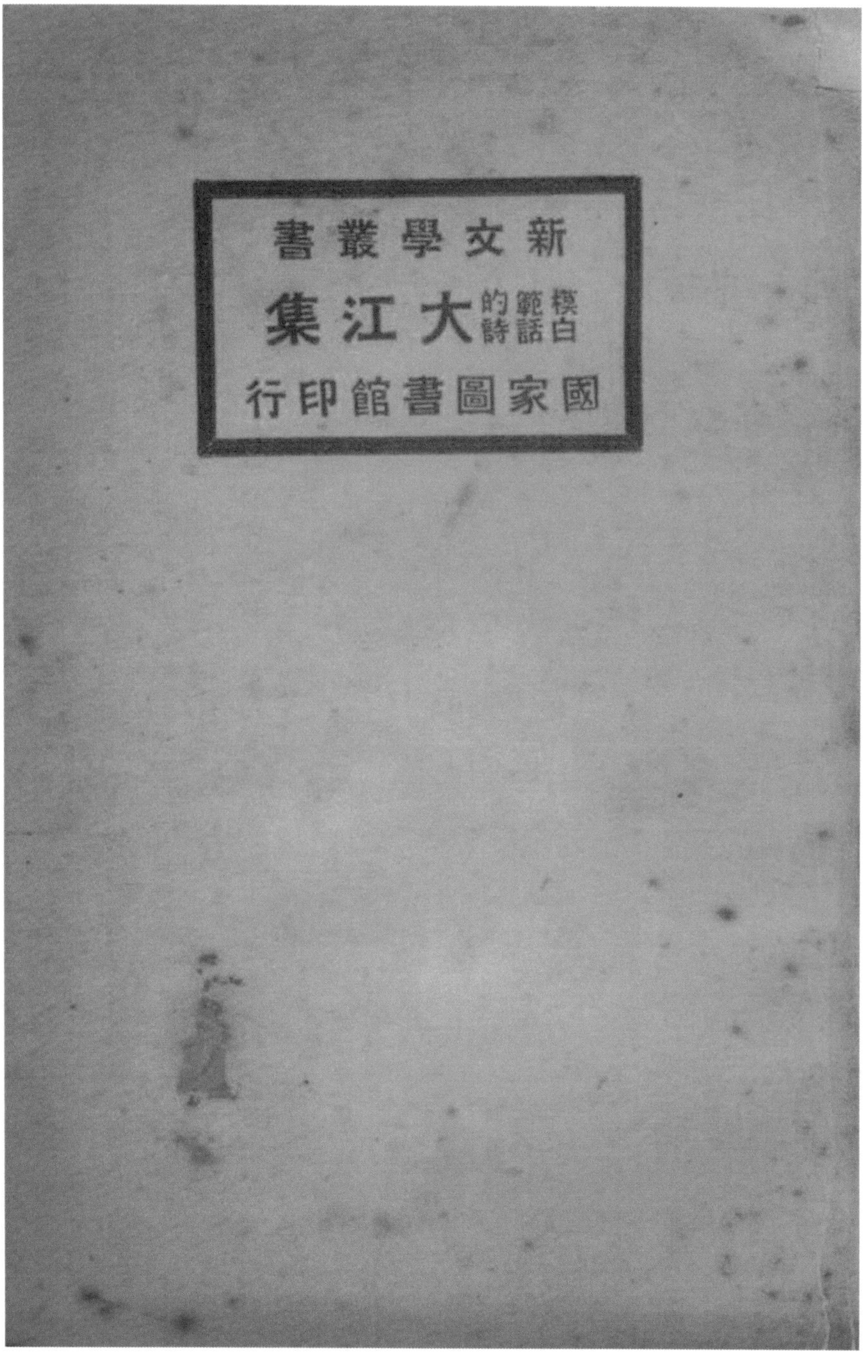
新文學叢書

大江集　模範的白話詩

國家圖書館印行

大江集

吳在題

大江集自序

大江集是我從民國八年到民國九年所做的新詩。但是我的新詩，却和普通的新詩有些不同。

爲甚麼叫大江集呢？因爲集中第一首詩的題目是「長江黃河。」我爲甚麼要做這一種詩呢？我的宗旨和做法，都在「詩與詩人，」「新派詩說，」「詩學研究，」三篇文章裏說明白了。現在把三篇文章都附在後面，讀者可以參看。

「詩與詩人」原載在民鐸雜誌上，「新派詩說」原載在婦女雜誌上，這是改訂本，「詩學研究」原載在美育雜誌上。如今都搜輯在一塊，以便讀者參看。

以外我還有許多論詩的文章或已印單行本或不大好，所以這裏都不附載。

我做的舊詩，因為太多，不能照去國集的辦法，附載在新詩集後面。

我這本書出版，我也沒多大希望，不過算是我研究詩學的一種成績罷了。

胡適之的嘗試集出版而後，我很誠懇，很公平，很詳細的批評了一下；因此打了半年多的筆墨官司。我的大江集出版而後，不知有人批評沒有？

如其有的，我是很歡迎的。

民國十年一月十一日胡懷琛書於上海。

大江集自序

四

大江集序

近來中國的文學，大有衰落不振的現象：舊文學既只有表面上的空架子，新文學又沒有『起而代之』的能力，因此新舊文學，都沒有眞實的價値了。

我們做了世界萬有裏頭最高等的人類，斷斷不能缺少「美」的思想，和科學的知識。文學本含有一種美的意味，又是各種科學所依據的。可不是很重要的麽？

現在我們要把這很重要的文學振興起來，却是怎樣辦法呢？古人說：『

凡事必求其本。』又說：『言爲心聲。』文學本是言語的代表，那麼我們的心就是文辭的根本了。據心理學上講起來我們的心有三種現象：一種是「智力，」一種是「情感，」一種是「意志。」從這心理上的三種現象，就生出文學上的三個方面。這三個方面，就是內典上常說的「體，」「相，」「用。」「體」是體質，「相」是形式，「用」是作用。有了眞確的「智，」才有眞確的「體；」有了優美的「情，」才有優美的「相；」有了正大的「意，」才有正大的「用。」這是缺一不可的。

文學的價値，也有三種。這三種價値，就是哲學家常說的「眞，」「善，」「美。」「眞」從體出，有了實體方能「眞；」「美」從相出，有了實相才能「美；」

」善從用出，有了實用才能「善。」而體，相，用，三種，又從智，情，意，生出。所以眞確的智，優美的情，正大的意，就是文學眞價値的根源了。

我國舊時的文學，只在相上講究，把體和用都擱起來。弄到後來，連相都沒有眞相了。目下流行的新文學，又只在用上講究，把體和相都擱起來；弄到後來，連用都只有極淺陋的小用，沒有眞正的大用了。

以上所說，一切文學都是這樣，「詩」也是其中的一種。因爲舊詩不顧體和用，所以只有『吟風嘯月，刻翠雕紅。』的頑意兒。因爲新詩不顧體和相，所以率直膚淺，毫沒一些眞實的骨力，和優美的精神。

懷琛先生，是舊文學的專家，也是新文學的鉅子；是第一流的文豪，也是第一流的詩家。近來看見新舊文學家的弊病，所謂『各有所蔽，』就發一個極偉大的志願，要創造出一種新派詩來，救新舊兩方面的偏蔽。不多幾時，居然做成這麼一本書。其中的詩，既沒有舊詩空疏和繁縟的毛病，又不像新詩率直淺陋，看了敎人發笑。這眞是文學界裏的創作了。這部書的名字，叫做大江集。我國的長江，原是世界上著名的大川。倘然有人開闢出這樣一條江來，那可不是破天荒的偉業麽？這個大江，洪流不竭，寶藏無窮，就是他的妙體；朝暉夕陰，波譎雲詭，就是他的殊相；通萬里槎，潤千頃田，就是他的巨用。胡先生的新派詩，也是如此，大江二字的命名眞不愧了。

一九二一年三月五日。東皐仲子。

大江集目錄

大江集目錄

大江集目錄

四

大江集

胡懷琛

長江黃河

長江長;黃河黃。滔滔汩汩;浩浩蕩蕩。來自崑崙山;流入太平洋。灌溉十餘省,物產何豐穰。浸潤四千載,文化吐光芒。長江長!黃河黃!我祖國!我故鄉!

採茶詞四首

朝也採山茶;暮也採山茶。出門曉露溼,歸來夕陽斜。

出門約女伴,上山採茶去;山後又山前,迷却來時路。

昨日新芽短;今日新芽長。不惜十指勞,只怕不滿筐。

自從穀雨前,採到立夏後;茶苦與茶甜,何人去消受?

詞蠶詞四首

日出採桑去；日暮採桑歸。漸見桑葉老，不覺蠶兒肥。

今日蠶一眠；明日蠶二眠。蠶眠人不眠，辛苦有誰憐？

春蠶口中絲，阿儂身上衣。要我衣裳好，莫使春蠶饑。

蠶老變爲蛹，蛹老變爲蛾；飼蠶復飼蠶，一春便已過！

自由鐘　八年四月作記

高麗人之運動獨立也

豎起獨立旗；撞動自由鐘。美哉好國民，不愧生亞東。心如明月白；血灑桃花紅。區區三韓地，莫道無英雄。悠悠千載前，本是箕子封。人民美而秀；土地膏而豐。那肯讓異族，長作主人翁？一聲春雷動，徧地起蟄蟲。祖國人人愛；公理天下同。我願和平會，慎勿裝耳聾！

老樹

庭前有老樹，春來抽條新；枯榮有變化，同此本與根。人生亦如此，嬗遞秋與春。我死而有子，子死而有孫。根本苟未斷，血脈長是親。老幼體屢變，生死理未眞。眼前兒童輩，都是千歲人。

明月

明月無老少，萬古常如茲。皎皎當中天；夜夜揚清輝。忽被大地妬，纔盈便使虧。雖曰有圓時，長圓不可期。借問此缺恨，茫茫何時彌？

送春詩

當日喜春來；今日送春去。來也從何方？去也向何處？問春春不言；留春春不住。芳草遠連天，便是春歸路。

流水

門前水，直通江。我心隨水去，迢迢到他方。他方有故人，道路遠且長。不能長相見，但願無相忘。

落花

落花飛，飛飛滿天。花開有人愛；花落無人憐。花開又花落，一年復一年。此是第幾番？問花花無言！

世界

人數無量多；地球一粟大。哀樂各不同，一人一世界。

爲女生題畫

帆飽知風健；雲開漏日明。騷人無限意，寄託在滄溟。

津浦火車中作

莫道火輪速，歸夢尤過之。不作同方行，而作背道馳。夢魂幾往還，車行猶遲遲。日出泰山曙；天寒燕草衰。車行何時已？客愁無盡期！

哀青島 民國八年五月作

浩浩渤海水；悠悠膠州灣。林木何
葱鬱；山巒亦藐綿。乃有木屐客，兒
之長流涎便將一角地，奪入囊橐
間。安得魯仲連，一旦爭之還？鬱鬱
泰岱青；沈沈夕照殷。於間切赤黑色悵望
田橫島，煙水空迷漫。

送友人往天平山看紅葉

送君天平去，去去看紅葉。不能同
車行，我心獨憂悒。倘能攜贈我，一
筐爲我拾。

海鷗

白鷗忽飛來；白鷗忽飛去。海闊與
天空，故鄉在何處？

秋葉

樹葉兒，經秋霜。一半青；一半黃。樹
無知，人自傷！

冬日青菜

濃霜打青菜，霜威空自嚴；不見菜葉死，翻教菜心甜。

菜花

菜花菜花開，蝴蝶蝴蝶飛。菜花開過了，蝴蝶還沒知！

春遊雜詩

七日放春假，六日出郊行；一日閉門坐，做得新詩成。

出門何所見？萋萋陌上草。含雨復含煙，做就愁多少？

爲羨釣魚樂，攜竿過小溪。夜來春水長，便覺石橋低。

離離墓上草，一歲一回青。如何墓中客，千年睡不醒？

一里兩里路；三家五家村。不信廿世紀，尚有羲皇人。

燕子亦勤儉，往來何辛苦；啣得陌

頭泥，重把舊巢補。

芳草如碧玉；野花如黃金。不費一錢買，採來衣上簪。

淸天淨如洗，晚霞紅似烘；始知造物者，變化眞無窮。

買得筍一束，歸來煑爲羹；嘗過此滋味，方知酒肉腥。

俯仰憑觀察，能收實驗功；世間眞學問，原不在書中。

新禽言詩

割麥插禾

割麥插禾！好男兒，莫懶惰。好光陰，莫蹉跎。一春不種田，一年便錯過。快快工作，割麥插禾！

得過且過

得過且過！好吃懶做。歲暮天寒，忍凍受餓。得過且過，當初大錯！

姑惡

姑惡姑惡！幾時纔得解放，脫離束縛？姑也是人，婦也是人，姑見了婦，爲何要惡？試看他，小家庭，自由自在，何等快樂！

行不得也哥哥

行不得也哥哥！哥哥說：叫我做甚麼？我們要互助，你莫倚賴我。你如倚賴我，我倚賴那個？

不如歸去

不如歸去！耕田種樹。自耕自食，無憂無慮。只要努力保汝國，莫使欲歸歸不得！

提壺盧

提壺盧！酒可沽。將禁酒，欲何如？終日飲酒太糊塗。不如打破壺，有酒君莫沽！

蟲言詩

我前幾天，曾做了幾首新

禽言詩。近來夜涼人靜的時候，常聽見唧唧的蟲聲，鳴個不住。因想起秋蟲春鳥，各鳴其時；鳥既有禽言詩，蟲也應該有蟲言詩。我因此便做了這幾首。

促織

促織促織！鳥催人耕；蟲催人織。鳥無福食粟；蟲不要衣帛。辛苦總爲人，可憐人不識。促織促織終夜鳴，有幾個懶婦聽得？

知了

知了知了！實在可笑！傳說有言：知易行難，言多不如言少。王陽明曰：知而不行，不是眞知道。孫中山曰：行易知難，不行怎說知了？如何言論大家，只管開口亂叫！

叫哥哥

叫哥哥！叫哥哥！哥哥說我親愛，嫂嫂嫌我話多；爺爺說我不是，媽媽又說我不錯。一團閒氣，到底爭些甚麼？大家庭制度，不如一拳打破！

明月照積雪

前天夜裏，忽然下了一場大雪。因記起沈歸愚道：於漢人得「前日風雪中，故人從此去。」兩句，於晉人得「傾耳無希聲，在目浩已潔。」兩句，於宋人（案指南朝宋），得「明月照積雪」一句，爲千古詠雪之式。忽觸動了我的詩興，便用「明月照積雪」做首句，做成了這首新詩。

明月照積雪，中夜生光輝。樓台變瓊玉，造化眞玄奇。粉飾終何用，不能禁朝暉。百事務外表，勞勞空爾爲。

鳩 （以下譯詩）

翩翩紅足鳩，一日忽然歿。問汝何故死？或者爲幽鬱。可憐縛汝繩，是我親手結！原願永相愛，乃至長相別。汝本住山林，那肯受抑屈。粒粒豆如珠，相對不能吃。

The Dove

I had a dove, and the sweet
dove died;
And I have thought it died of
grieving;
O, what could it grieve for?
Its feet were tied,
With a single thread of my
own hand's weaving.
Sweet little red feet, why sho-
uld you die?

Why should you leave me, sw-
eet bird, why?
You lived alone in the forest tree,
Why, pretty thing, would you
not live with me?
I kissed you oft, and gave you
white peas;
Why not live sweetly, as in the
green trees?

JoHN KEATS.

燕子

翩翩雙燕子，飛飛到海涯。(逆奇切)今年渡海去；明年帶春歸。待汝歸來日，知是冬盡時。歷過一冬寒，便見三春暉。

The Swallow

Fly away, fly away, over the
sea,

Sun-loving swallow, for summ-
  er is done.
Come again, come again, come
  back to me,
Bringing the summer, and bri-
  nging the sun.
When you come hurrying home
  o'er the sea,
Then we are certain that win-
  ter is past;
Cloudy and cold though your
  pathway may be,
Summer and sunshine will foll-
  ow you fast.

CHRISTINA G. RossETTI.

百年歌

人生百年亦何爲?流星過眼浮雲飛。倏如電光散如浪;生如行客死

乃歸。當年榆柳何青青，秋風一起
皆凋零。莫問貴賤與老少同埋黃
土睡不醒。

The Shortness of Life

Oh why should the spirit of
mortal be proud?
Like a fast-flitting meteor, a
fast-flying cloud,
A flash of the lightning, a br-

eak of the wave,
He passes from life to the rest
of the grave;
The leaves of the oak and the
willow shall fade,
Be scattered around and toget-
her be laid;
And the young and the old, and
the low and the high,

Shall moulder to dust and tog-
ether shall lie.

WILLIAM KNOX.

愛情

攝心如閉門，防彼情來襲。春風不解事，又送琴聲入。春暉淡蕩中，愛情爲我說：不讓我自由，便使汝心裂。

over the Roofs

I said, "I have shut my heart,
As one shuts an open door,
That Love may starve therein
And trouble me no more".
But over the roofs there came
The wet new wind of May,
And a tune blew up from the
curb
Where the street-pianos play.

My room was white with the sun
And Love cried out in me,
"I am strong, I will breakyour heart
Unless you set me free".

SARA TEASDALE

按原文 Wind of May 直譯應作五月風，或薰風。今以西國五月適當中國舊曆三月，仍爲春日，故譯作春風。不讓我自由的我字，是愛情自稱。

花子

春泥護花子。花子睡未已。雨聲喚之醒；春暉催之起。驚起看韶光，韶光一何美。

The Little Plant

In the heart of a seed,

Buried deep, so deep!
A dear little plant
Lay fast asleep!
“Wake!” said thesuns hine,
“and creep to light!”
“Wake!” said the voice of the
raindrops bright.
The little plant heard and it
rose to see

What the wonderful outside
world might be!

KATE L, BROWN

倩影

胸中倩影，强欲棄捐。翦破春夢，使之不圓。難耐寂寥，夢斷又連。棄之去者，分明是君；印我心者，君又其人。

Replacement

I brove your image out of my
heart-
The Man-That-I-Learned-
Was-You.
I transpled my fondness. unde-
rfoot
And tore my dream in two,
But Life can bear no emptiness
And dreams will always oc-

cur....
In the place whence I drove
the Man-You-Are
Dwell the Man-I-Thought-
You-Were.

VIOL ABROTHERS SHORE

短歌

當空發長矢，矢去如流電。臨風放浩歌，歌聲隨風散。誰知數年後，兩者皆可見：歌在情人心，矢在老樹榦。

The Arrow and the Song

I shot an arrow into the air,
It fell to earth, I know not where;
For, swiftly it flew, the sight
Could not follow in its flight.
I breathed a song into the air,
It fell to earth, I know not where;
For who has sight so keen and strong
That it can follow the flight of a song.
Long, long afterward, in an oak,
I found the arrow still unbroke;

And the song from beginning to end,
I found again in the heart of a friend.

H. W. LONGFELLOW

按原文Friend直譯應作友人，今譯爲情人，意味更深。想作者因爲押韻，所以用Friend字。若譯文可不必拘此。

晚秋

黃葉衰無力，搖落委荒土；一遇秋風來，猶作不平語。寒塘靜如睡，旅燕掠水飛山童無一事，拾取枯枝歸。

Le déclin de l'automne.

Voilã les feuilles sans sève
Quui tembent sur le gazon;
Voilà le vent qui S''élève

Et gêmit dans le vallon;
Voilà l'errante hirondelle
Qui rase du bout de l'aile
L'eau dormante des marais;
Voilà l'enfant des chaumières
Qui glane sur les bruyeres
Le bois tombé des forêts

A. de Lamartine

按這首是法國 A. de Lamartine,箸的，我不懂法文；是我弟子未瘦桐把他逐字的譯出來，我再把他做成詩；朱君的法文很好，想譯得不至差誤。第六句初譯作「燕子掠水飛。」然原文的意思是「行蹤無定的燕子，他的尾梢擦過池塘裏睡眠著的水飛去。」譯文一個「掠」字雖能表出「尾梢擦過」的意思，但「行蹤無定」的意思沒有譯出，後來改作「旅燕掠水飛。」一比較的更眞確了。

贈妻

流光何匆匆，倏忽拋人逝；閉眼一凝思，忽忽老將至。明知自今後，年華尙富麗；愛極覺日短，情深出言媚；爲此傷老詞，願君幸勿棄！絲絲額上紋，暗把歲華記。青青頭上髮，苦被霜花蔽。容貌縱已衰，愛情何曾替！縱有千萬言，難申一寸意。唇減去年紅，眸比去年滯；但入情人眼，不與去年異。豔福從何來？上帝特地賜。今後何所期？今後何所企？願見兒與孫，繞膝學游戲；更願到那時，同採仙花穗。且待赴天國，拈花解妙諦；反老爲少年，恩愛萬千歲。

Quand nous serons vieux.

En fermant un [I] peu les yeux
Le nous vois, moi d'ejà vieux
Et toi d'ejà presque vieille;
Ils seront loin, nos beaux jours,
Mais je te dirait toujours
Des mots trés doux à l'oreille.
ah! certes. l'on [II] changera
Quand la vieillesse viendra
Avee Sou triste cortège:

Le temps ridera ton front
Et tes cheveux noirs seront
Comme saupudrés de niege.
Ta tailles s'alourdira [III]........
Mais mon vieux coeur t'aimera
plus que je ne puis le dire,
Car, malgie tes cheveux gris,
Ta lēvre et tes yeux flétris
auront le même sourire!

(IV)

puis, si Dieu daigne benir
Les époux qu'il vient d'unir,
Il nous enverra ses anges
Et nous verrons, triomplrant,
Les enfauts de nos enfants
Begayer parmir leurs langes!
Mais. en attendant Demain,
Cueillons les fleurs du chemin,
Oublieux des immortelles;
Car, lorsque nous partirons,
La-haut, nous rajeunirons
pour des Amours éternelles!

T. Botrel.

此詩同朱君瘦桐從法文譯出。

倘然

倘然我能尋得一神鑰，能開快樂之篋鎖與封；便將快樂散四海，人人面上有笑容。倘然我能尋得此

神篋，能容萬人不嫌仄；便驅愁人
入此中，堅封固鎖不使出。更命巨
靈負之去，投入滄海最深處。

If I Knew

If I knew the box where the
  smiles are kept,
No matter how large the key,
Or strong the bolt, I would try
  so hard,
'Twould open, I know, for me.
Then over the land and sea
  broadcast,
I'd scatter the smiles to play,
That the children's faces might
  hold them fast
For many and many a bay.
If I knew the box that was
  large enough

To hold all the frowns I meet,
I would like to gather them,
every one,
From the nursery, school and
street,
Then, holding and folding I'd
pack them in,
And turning the monster key
I'd hire a giant to drop the box
Into the depths of the sea

ANONYMOUS.

按此詩英國無名氏做的。原文思想和筆墨，絕似中國的李太白。我讀了很歡喜他，便絕力摹擬太白，把他譯出；只恐怕我的譯文仍不及他的原文罷。

荒墳

荒墳何寂寞？春秋自來去。不知有

芳菲，那管風雪暮？垂楊長俯首，終
日聽溪聲。清歌破寂寥，好鳥空自
鳴。一任悲風號，墓中人無語；應是
長眠客，愛此安樂土。

Such quiet has come to them,
The Springs and Autumns
pass,
Nor do they know if it be snow
or daisies in the grass.

All day the birches bend to hear
the river's undertone;
Across the hush a fluting thrush
Sings evensong alone.
But down their dream there
drifts no sound,
The winds may sob and stir.
On the still breast of Peace
they rest—

And they are glad of her.

ByArthurKetchum.

按原文見胡適之嘗試集，原譯名墓門行。今將適之小序及原譯附錄如下：序云『四月十二日，讀紐約晚郵報，有無名氏題此詩於屋斯託克North Woodstock, N. H. 村外叢塚門上。詞旨悽惋，余且讀且譯之，遂成此詩。已付吾友叔永，令刊季報中矣。一日，偶舉此詩告吾友客鶯女士 Marion D. Crane。女士自言有友克琴君 Arthur Ketchum 工詩，又嘗往來題詩之地，此詩或出此君之手，亦未可知。余因囑女士爲作書詢之。後數日，女士告我新得家書，附有前所記之詩，乃別自一報剪下者。附注云「此詩乃克琴君所作。」女士所度不果，謬余亦大喜。因作書，並寫譯稿寄之，遂訂交焉。此亦一種文字因緣，不可不記。因記之以爲序。四年四月十二日。』詩云：「伊人寂寂而長眠兮，任春與秋之代謝。野花繁其弗賞兮，亦何知冰深而雪下？水潺湲兮，長楊垂首而聽之。

鳥聲喧兮，好音誰其應之？風鳴咽而怒飛兮，陳死人安所知兮？平和之神，穆以慈兮。長眠之人，於斯永依兮。

大江集

三〇

附錄

詩與詩人

胡懷琛

(一) 詩的界說

我們要談詩，先要知道詩是甚麼；那麼不可不定個詩的界說。詩的界說有的人從精神上定的，有的人從形式上定的。從精神上定的，大約說：詩是偏於情的文學，非詩是偏於智的文學，或偏於意的文學。從形式上定的，大約拿有韻無韻做標準。我以為有一現成的好界說，是古人替我們定了的，不須我們再定了。這個界說，是出在虞書上，他說：

詩言志，歌永言，聲依永，律和聲。

如今把這十二個字，申說申說。「

詩言志」便是詩係發揮感情的東西；和記載事實的文字不同，也和辯論的文字不同。便是上面所說得偏於情的文學是了。——也有記載事實和辯論的，但以情爲主。——「歌永言」便是詩係可以唱的東西。如上面所說韻的問題是了。——但是普通所稱做文的也有韻，詩也可以無韻。這話很長，後再詳說。——「聲依永，律和聲。」便是說能唱所以有聲，能合律所以聲能和。可見詩的重要部分在乎音節。

現在有許多人，拿有韻無韻，來分別詩非詩。這話不大對。我不承認，理由如下：

雲從龍。風從虎；聖人作而萬物覩。 易經。

這幾句可說有韻，然不能說易經是詩。

谷神不死，是謂玄牝；玄牝之門，是謂天地根；緜緜若存，用之不勤。老子。

這幾句大家都公認有韻的，然不能說老子是詩。且道德經用韻的地方極多，幾乎可說全是韻語，然沒人加他一個詩的名目。

長鋏歸來乎！無以爲家！馮驩歌。此歌是一句，不是兩句。據麓堂詩話。

這是馮驩倚柱彈鋏而唱的，所以稱爲歌。歌便是詩。然這兩句却沒有韻，可見韻不韻不成甚麼問題。易經和老子何以不算詩？因爲他不偏於情的方面，不合於詩言志的例。

馮驩歌何以算詩？因爲他偏於情

的方面，合於詩言志的例。他雖然沒有韻；却能慢聲長讀，有一唱三歎的神氣，也合於歌永言的例。

照上面看來，詩的界說莫妙於虞書上的話了。便是：

詩言志，歌永言，聲依永，律和聲。

（二）詩的價值

詩在文學上，有甚麼價值呢？現在人普通的答案，都說：詩是美術文字。這句話雖不錯，但是他的美是用他感化人的，——便是美育。——並不是拿來給人家做玩好品的。所以稱他為美術文字，不如稱他為美育文字。——一切的美術都應如此。——至於他感人的效力極大，不但能感人，且能感物。古人早用他當做治國的一件要事。

試看舜命夔典樂：以養性情，育人才，事神祇，和上下。——語見蔡註。——便知道的他功用了。禹也說：「勸之以九歌。」孔子也說：「興於詩，成於樂。」他們都把詩看得這樣重。豈可當他是一種尋常的技藝麼？以上所說：便是做元首的人，拿詩來教化平民；做教師的人，拿詩來感化弟子。再從又一方面說：便是做平民的人，拿詩來發揮自己心裏的苦樂；做元首的人，讀了他們的詩，也就可以知道他們的苦樂。如國風便是了。做弟子的也拿詩發揮自己的感情；聯絡教師和同學的感情。如孔子所說的「可以羣」便是了。後人的贈答也是這個意思；不過做得太濫了，沒有眞感情罷了。

（三）詩的分析

詩是甚麼東西組織成的？我們從前面的界說內，可知道他的成分如下：

詩 { 精神：情爲主　智爲輔　意爲輔
　　 形式：聲爲主　詞爲輔

何以說情爲主？便是本著「詩言志」一句話而說的。何以說智爲輔，意輔爲？因爲詩也有紀事的和

辯論的，但是以情爲主；一首詩裏，沒了個人的感情便不能成詩。

何以說聲爲主？便是本著「歌永言」一句話而說的。何以說詞爲輔？詞便是詞采；有詞采無聲不能成詩，有聲無詞采可以成詩。試舉例說明如下：

雲騰致雨，露結爲霜。果珍李柰，菜重芥薑。　千字文

這個不能算詩;因爲說雲雨,說霜露,說李柰,說芥薑,其中都沒有情。

蒹葭蒼蒼,白露爲霜。 詩經

桑之未落,其葉沃若。 同上

這個算詩;因爲說蒹葭,說白露,說桑,其中都含有情。

杶幹栝柏,礪砥砮丹。惟箘簵楛。

禹貢

這幾句不能算詩;因爲不能唱。

洞庭波兮木落下。 楚辭

這一句的詞采,也不過是波,是木,然而算詩;因爲他可以唱。

(四) 歷代詩體的變遷

中國的詩,發明得最早。歷代的變遷也最多。我們要談詩,也不可不略知他的變遷。如今不嫌繁瑣,把他寫些在下面。中國有句俗語,將詩,辭,歌,賦,並稱。這話很有道理,因爲此四字，可算是廣義的詩。我們要談詩的源流，還要先將這四字分開來說說。像下面便是了：

(一)詩。詩的名詞，在虞舜時已有了。便是虞書上所說的「詩言志。」但是他們往往稱爲歌，不稱爲詩；至周朝便通稱爲詩了。那時候的詩，便是一部詩經。大抵以四言爲主。至李陵，蘇武，和十九首，纔有完全五言詩。至柏梁詩纔有完全七言詩。有人說柏梁之前，也有全首七言的。如飯牛歌，大風歌，都是。但他們都稱爲歌不稱爲詩，所以說七詩言從柏梁起。律詩，絕詩，都是六朝時發端的，到唐朝纔正式成立了。唐朝的末年，詩漸漸變爲詞，到五代及宋初纔成立了。到了元朝，又由詞變爲曲。這是詩的變還大略了。有了律絕之後，以前的詩，名爲古詩。同時又有許多雜體發生。

(二)辭。辭是從詩經裏變出來的。創造的便是屈平。他和他弟子宋玉所做的文章，後人都稱爲楚辭。後來如漢武帝的秋風辭，陶淵明的歸去來辭，都是這一體。有人說辭的名詞，在易經上早有了。但是這話離題太遠，不能採取。又禮記有蜡辭，然不是言志的文字。

(三)歌。歌成立得最早。如堯時的擊壤歌，舜時的卿雲歌，都是。自此以後，一直有的。到了五七言詩成立之後，仍有歌的名目。古時的歌，大半可以譜入樂器的，到漢朝纔有樂府的名目。

(四)賦。賦的名詞，最先在荀子裏

看見。便是他的賦篇。詩經裏的賦，興，比，一個賦字沒有成爲文體的名目。所以說從荀子始。後來宋玉的賦，乃是從屈平離騷裏變出來的，和荀子的賦是兩樣。後世通行的賦，都是宋玉一派的賦。如洛神賦，阿房宮賦，秋聲賦，赤壁賦，都是。荀子派的賦，後來不大有。在他以前，老子的道德經，已可算開了端，但沒有成立賦的名目。

照以上看來，除禮記中的蜡辭和荀子賦篇而外，辭賦二類，都可以納入詩；因爲賦——宋玉派賦——出於楚辭，楚辭出於詩經。所以都可納入詩。蜡辭和荀子賦篇因爲不是情的文，所以和詩不相干。辭賦既納入詩中，只存詩歌兩類，詩，歌，也可通稱，或總稱爲詩歌。

爲甚麼呢？因爲一都詩經分做三部分：第一是風，第二是雅，第三是頌。朱子說：風便是里巷歌謠。可見歌也是詩的一種了。風，雅，頌三種，拿現在的詩體來說：風便是山歌，雅便是普通的詩，頌便同國歌差不多。所以詩歌可以通稱。

總而言之：歷代詩體的變遷，極爲複雜；斷難有一個明白簡單的路徑可尋。上面所說的不過是大概罷了。

自從唐虞至前清末年的詩，大概如此。民國以後，纔有一種新詩出現。新詩既出，以前的詩都名爲舊詩。欲知新詩舊詩的利弊如何，待下文詳論：

（五） 舊詩的利和弊

詩的價值，前面第二節裏已經說

過了。這種價值，便是舊詩的好處。自三百篇，十九首之後，做詩的人，大多數不知道詩的價值，只拿他來當一種玩好品。古今著名的詩人，從建安七子起，以後如謝靈運，陶淵明，六朝時的庾子山，鮑明遠，唐朝的李太白，杜少陵，王摩詰，孟浩然，韋蘇州，柳子厚，李長吉，孟東野，李義山，杜樊川，宋朝的蘇東坡，陸放翁，范石湖，黃山谷，元朝的元遺山，明朝的高青邱，清朝的王漁洋，施愚山，沈歸愚等。都是一個朝代裏數一數二的人物。但是他們的詩也不過是以極優美的文字，寫個人的性情便是了。若說到眞知道詩的價值，恐怕除了白香山一人而外，沒第二人。白香山的詩現在已有許多人承認他是好了，我在這裏不必再說。我近來看見白香山寄元微之的一封信，便是自己說明諷喻詩的用意。中間有許多不滿意陶謝的話。這封信可惜太長，不能錄在這裏。只得趁此機會說明一句：白香山的詩派是確有價值的。至於建安七子和陶謝以下的人，雖然和白香山不同，却也不失以極優美的文字寫自己的性情。也是可取的。此外又有一班學古人的詩人，如明朝的李夢陽專學盛唐，如清末的王壬秋專學漢魏，陳伯嚴，鄭蘇龕學宋人，樊樊山學晚唐，這樣眞可算是死文學了。又有一種，雖不是學古人，却是奇奇怪怪，博得一般俗人稱好，如最近易實甫先生的詩，便是個代表了。做詩的人，一天天的不知道詩是甚麼東西，做的詩一天天壞下去。同時又將詩當了文人專有的東西，像國風一般的里巷歌謠又不承認他是詩；所稱為詩的，不是摹仿古人，便是標奇立異，拚命的去做成一種怪詩。這便是舊詩的大壞處。所以非革命不可。

(六) 新詩的利和弊

新詩的好處，便是能夠掃除舊詩的種種流弊；他的特點，大約可說明如下：

由特別階級的解放到普通社會的。

由雕飾的解放到自然的。

由死文學的解放到活文學的。

本著這種精神去做詩，自然是好極了；但是在今日也不免有種種流弊，說明如下：

由特別階級的解放到普通社會的。有兩個意義：(一)是一般人能讀，(二)是一般人能做。一般人能讀，現在已差不多做到了。但是有許多的人喜歡嵌著東文西文，斷不是一般人能讀的。一般人能做，舊社會上本有一種歌謠，只沒人採取罷了。倘然有人採取，便是今日的國風。聞說北京大學現在方

徵求這種謠歌，這是極好的事，我極端歡喜。除了這件事外，還有許多人，做幾詩首，說說勞工的苦處，我說這是不大對；因爲勞工的苦處，要勞工自己說出來，纔是眞的。至少也要實實在在憐憫勞工辛苦的人說出來，纔有價值。倘然坐在黃包車上做成的車夫苦，無論怎樣新，總是不對。

由雕飾的解放到自然的，也是頂要緊的事。舊詩不好。便因爲雕琢妝飾太過了。所以要解放；然而仍要歸到自然。字句組織的自然，不消說了；便音節也要自然。朱子詩序裏早說過的，他道：「人生而靜，天之性也；感於物而動，性之欲也。人既有欲矣，則不能無思；既有思矣，則不能無言；既有言矣，則言之所不能盡，而發於咨嗟咏嘆之餘者，又必有自然之音響節奏而不能已焉；此詩之所以作也。」「又必有自然之音響節奏。」便是說詩有自然的音節。現在做新詩的人，往往不能有自然的音節，也不能有自然的字句，便是解放得太過分了。胡適之先生嘗試集自序說：「詩體的大解放，就是把從前一切束縛自由的枷鎖鐐銬，一切打破……」這句話很對，但是有許多人誤會了。爲甚麼呢？因爲脚上有了鐐銬，固然不能算自由行路；但是不能行路的嬰孩，在路上爬和亂跑亂跳的劣孩，在路上奔；也算是自由行路麼？我想一定不能說他是自由行路。

由死文學的解放到活文學的，現在已做到了。然我以爲活文學的註解，不專是指現代的文學，也兼指自己的文學；在詩裏便是有自己的感情。倘然沒有自己的感情，硬學胡適之，沈玄廬，等於學杜少陵，學黃山谷。因爲杜詩黃詩是他們自己的活文學，人家學他，便是死文學了。適之玄廬的詩，也是他們自己的活文學；人家學他，便是死文學了。

上面所說的乃是新詩的流弊。所以新詩也非改造不可。但是改造決不是復古，讀者切切不要誤會了。

（七）將來的希望

我對於將來的希望，是要做詩的人，先明白了詩的價值。任其自然，不必勉強去做。如有喜怒哀樂的感情，鬱在胸中；久而久之，不能再鬱了，一旦遇著機會，發洩出來，不知不覺的成了好詩。至於讀書的多少，用功的深淺，不必問了。略識幾個字的人，甚至不識字的人，都可以做詩。不過讀書多的人，見聞廣一點；功夫深的人，吐屬巧妙一點；有時能幫助詩的好。並不是說讀書多，用功深，詩便做得好。因為詩是偏於情的文學。情是天賦的，讀書不能增加；情是感物而動的，用功也不能發生。這個理很容易明白。古人說過的：「詩有別才。」他稱爲別才，却不知道他所說的別才便是情。古人不明白智情意的分別，所以稱他是別才罷了。至於說到詩體的方面，除了自然二字，沒有第二個條件。甚麼古詩

啦，律詩啦，舊體啦，新體啦，自由詩，無韻詩啦，這些名目，都要一例打破。但有一件要緊的事，便是要能唱，不能唱不算詩。如此做下去，便有眞的新詩出現了。

再希望有一種專門研究詩學的人，用番心思，多讀新舊的著作；放開眼界，打破新舊的成見；運用詩歌，去涵養人家，感化人家，達到美

育的目的。

（八）詩人

甚麼叫做詩人？先從詩學史上說，三百篇和十九首多半不知道作者的名字。在作者也沒有要做個詩人的心事。凡是做過詩，可以有存在的價値的，都可以稱爲詩人。像做三百篇的任便一個人，都可以稱他詩人。若說專因詩著名，他的詩又自成一家，人家因稱他爲詩人，恐怕要從屈原始了。若說運用詩去涵養他人，感化他人，或是能知道這個意思的，恐怕要算夔和孔子了。夔自己做過詩沒有，現在無從考索；但觀舜命他典樂的話，可知道他是能運用詩的人。孔子自己雖做過詩，但是不多幾首，後來也沒人稱他是個詩人；但觀他删詩的事，和聽他教弟子學詩的話，可知道他是明白詩的用處了。他們兩人也可以稱爲詩人。

大約像夔一般的詩人可稱爲人生派的詩人，像屈原一般的詩人可稱爲超然派的詩人。人生派的詩人在後來白居易可以算得。再後朱子做的詩序也明白這個意思，但是他自己做的詩却又不然。

超然派的詩人如陶淵明，李太白，一流的人都是了。

人生與超然兩派，旨趣不同。但無論那一派，詩人和常人有些不同的地方，大約可說明如下：

詩人的感情比常人更眞摯。

詩人的性情比常人更和平。

詩人的心思比常人更高潔。

詩人的感覺比常人更靈敏。

以上種種，大半是天賦的不是修養能夠造成的。然修養的工夫也不可少；因爲修養的工夫愈深：那麼眞摯的愈眞摯，和平的愈和平，高潔的愈高潔，靈敏的愈靈敏了。倘然秉了天賦，不去修養，那麼也要漸漸的汨沒了。

附記：我談詩喜歡引用舊詩，因此便有人加了我一個守舊的徽號。這話我決不承認的；因爲我引舊詩，是追究源流的意思，並不是叫人家拿舊詩做模範。這篇文章裏又有許多古董，讀者切不可誤會了，說我是陳列出來賽會的。

又有許多人喜歡拿外國詩體來繩中國詩。我說既然談中國詩，當然用中國詩做主體，外國詩只可以供參考罷了。我究竟沒到過外國，且各國詩的性質又不同，很爲複雜，所以我不敢一知半解的亂引。

又有人說我做的新詩是假新詩，這句話我也不承認。因爲假字是含有冒充的意思；我的新詩我早已標明旗幟和胡適之先生的新詩不同；我並不是冒他的牌子賣假貨，何以能說是假新詩？

附錄

新派詩說

胡懷琛

緒論

吾作此文，吾須略言吾之大意：新派二字，是對於舊派而言。卽不滿意於普通所謂「舊體詩，」故別創新派也。然則何以不名新體？蓋吾於普通所謂「新體詩，」亦有不滿意之處。故名新派，以示與新體有分別耳。總之新派詩卽合新舊二體之長，而去其短也。何謂合二體之長而去其短？此言甚長，試於下文分章論之：

第一章　詩在文學上之位置

今欲論詩，當先知詩在文學上居於若何之位置，然後知詩之爲可貴與否。竊謂詩在文學上有五種特質如下：

（一）詩爲最古之文學。吾人普通之見解，則謂先有語言，後有文字；既有文字，則整齊而有韻者謂之詩，不整齊而無韻者謂之文。然愚竊謂在未有文字之前，當先有一種整齊而有韻之語言；或爲四字，或爲三字，以便記憶，是卽古謠諺

之濫觴也。此言雖無確證，然揆之於理，當不大謬。卽今所傳者如「日出而作，日入而息。」亦在唐堯時已有之。詩字首見於虞書，曰「詩言志，歌永言。」蔡註：「心之所之謂之志。心有所之，必形於言。故曰詩言志。既形於言，又必有長短之節。故曰歌永言。」是詩與歌實一物也。歌之見於尙書者，「有股

肱喜哉！元首起哉！百工熙哉！」有『皇祖有訓：民可近，不可下。民爲幫本，本固邦甯。』皆以歌爲名者也。由此觀之，在唐虞時詩已盛行矣。

（二）詩爲、最簡之文字。研究文學者有言：「世界文字以漢文爲最簡。」愚竊謂漢文之中以詩爲最簡。嘗取英文寫景之語，譯爲漢文，字數可省去其半；又將其文譯爲詩，則又省去數字。今試列舉如下：

英文。It was a fine summer day, and the country looked beautiful. The oats were still green, but yellow ears of wheat bowed their heads to & fro as they felt the gentle breeze.

漢文。夏日郊原，天氣清朗。燕麥猶青，而麰穗低頭，當風搖曳。

漢詩。夏初燕麥依然綠，麰穗低頭搖晚風。

字面雖未盡譯出，然精神全在是矣。漢詩以十四字包括一切，其簡便爲何如哉？

(三)詩爲最整齊之文字。古詩每章字句，雖不規定，然較之散文，整齊多矣。

(四)詩爲有音節之文字。此盡人所知，無俟再言者也。按惟其能簡潔，整齊，有音節，故自然呈美觀。

(五)詩爲最能感人之文字。惟其美也，故能感人；惟其感人之深，故其效用爲極大。舜命夔典樂，以養性情，育人才，事神祇，和上下。大禹曰：「勸之以九歌。」孔子曰：「興以詩，成於樂。」可見其功用之大。太康逸豫滅德，五子進諫，乃獨作歌；豈非以歌之感人，獨深於尋常言語耶？後人讀書，亦多喜讀韻文，不喜讀散文，卽此意也。

由以上諸點觀之，則詩在文學上居於若何之位置，可以知矣。

第二章　舊體詩之長

舊體詩之長處，既如第一章所言，茲不復贅。惟後世漸漸失其眞意，流弊滋多，如下章所述是也。

第三章　舊體詩之流弊

舊體詩自漢魏而後，體製大備；而眞意亦日失。六朝靡靡，無足論矣。有唐一代，號稱最盛；然能眞知詩之爲用者，白太傅一人耳。白太傅之新樂府，以老嫗能解之筆墨，寫當世社會之形狀，是卽今日新體詩之特長也。此外郊寒島瘦，溫李浮薄，固然去詩之眞意日遠；即太白仙才，少陵史才，以今日眼光視之，實猶是特別階級之文學也。兩宋而還，復有枯寂一派，幾乎生氣已盡。朱明七子，貌似古而神離。前清作者，亦大抵不能出其範圍。而末流所趨，愈趨愈下，此新體詩之所以乘隙而起也。茲更條舉舊體詩之流弊如下：

（一）以典麗爲工者。 滄海月明珠有淚；藍田日煖玉生煙。

（二）以鍊字爲工者。 山吞殘日暮；水挾斷雲流。

（三）以鍊句爲工者。 香稻啄殘鸚鵡粒；碧梧棲老鳳凰枝。

（四）以巧對爲工者。 拳石畫臨黃子久；膽瓶花插紫丁香。

(五)以巧意爲工者。　風吹古木晴天雨；月照平沙夏夜霜。

(六)以格調別致爲工者。　白菡萏香初過雨；紅蜻蜓弱不禁風。

(七)以險怪爲工者。　代燈山鬼火；賁茗毒龍涎。

(八)以生硬爲工者。　花淫得罪；隕鶯辯知時逃。

(九)以乖僻爲工者。　芍藥花開菩薩面；棕櫚葉散夜叉頭。

(十)以香豔爲工者。　遙夜定嫌香蔽膝；悶心應弄玉搔頭。

以上種種，均所謂在面子上做工夫是也。此外講魄力，講神韻，講骨格，雖比講面子爲勝；但仍不免爲特別階級之文學。去詩之眞意仍遠也。

第四章　新體詩之長

新體詩繼舊體詩而起，自必有其特長之處；然後能鬨動一時。論其長處，略有四說如下：

（一）新體詩爲白話的，能徧及於各種社會；非若舊體詩爲特別階級之文學也。如下面所舉是也：

鴿子　（胡適）

雲淡天高，好一片晚秋天氣！
有一羣鴿子，在空中游戲。
看他們三三兩兩，迴環來往，夷猶如意。
忽地裏翻身映日，白羽襯青天，鮮明無比！

（二）新體詩是社會實在的寫眞，非若舊體詩之爲一人的空想也，如下面所舉是也：

人力車夫　（胡適）

「車子！車子！」
車來如飛。
客看車夫：「你今年幾歲，拉車拉了多少時？」
車夫答客：「今年十六歲，拉過三年車了，你老別多疑！」
客告車夫：「你年紀太小，不坐你車；我坐你車，我心慘悽！」

車夫告客：「我半日沒生意，我又寒又飢。
你老的好心腸，飽不了我的餓肚皮。
我年紀小拉車，警察還不管，你老又是誰？」
客人點首上車說：「拉到內務部西！」

（三）新體爲現在的文字，非若

舊體詩爲死人的文字也。如下面所舉是也：

背槍的人　（仲密）

早起出門，走過西珠市。
行人稀少。店舖多還關閉；
只有一個背槍的人，
站在大馬路裏。
我本願人賣劍買犢，賣刀買牛。
怕見惡很很的兵器。
但他長站在守望面前，
指點道路，維持秩序，
只做大家公共的事。
那背槍的人，
也是我們的朋友，我們的兄弟。

（四）新體詩是神聖的事業，非若舊體詩爲玩好品也。如下面所舉是也：

想（一）　（玄廬）

平時我想你，七日一來復。昨日我想你，一日一來復。今朝我想你，一時一來復，今夜我想你，一刻一來復。

(二)

予的自由，不如取的自由；取得自由，才是奪不去的自由。奪了去放在那裏？依舊朝朝暮暮，在你心頭！在我心頭！

第五章　新體詩之短

新體詩既有上述各種長處，宜乎其能代舊體詩而行矣。但其精神上雖有上述之長，而形式上實在有種種短處。詩既稱爲審美的文學，天然以精神形式兩方面皆美爲目的。不然，卽不成其爲詩矣。新體詩之短處，可略舉如下。

(一)繁冗。吾於第一章既言詩

爲最簡之文字，則詩之所以能美者，簡字實爲原質之一。今新體詩既犯繁冗，是卽與此原則相反，則其不能美也明矣。

(二)參差不齊。整齊爲中國文字所獨有，詩爲文字中之尤整齊者也。新體詩之格式，來自歐美，故多參差不齊。殊不知歐洲文字不能整齊，中國文字能整

齊，正是彼此優劣之分。今奈何自去吾長，而學其短耶？然在歐文不能整齊之中，偶有整齊之式，彼亦驚爲天造地設之妙文，吾人讀之，亦最便於上口。如 w ere there is a will there is away. 是其例也。殊不知此等結構，在中國文字中，數見不鮮。今人去吾所長而不用，不知何

故？

（三）無音節。詩之所以能感人者，全在音節。帝舜命夔之言，道之詳矣。曰：「詩言志，歌永言，聲依永，律和聲。八音克諧，無相奪倫。神人以和。」古人之詩，節奏之長短，音韻之高下，必求合乎五音六律。雅頌而後，則有樂府。中晚唐以來，此傳久失，一變而爲平仄聲。然聲調鏗鏘，便於口而悅於耳。若新體詩則往往不能得天然之音節，讀之不能上口，聽之不能入耳，何能感人？或曰：「爲以上種種所束縛，則新體詩之眞精神，何由發揮？仍然舊體詩耳。」此說余甚不承認，讀者試讀畢下文，自能知之。且余之所謂新派詩者，卽欲以舊格式運新精神也。

第六章　中國詩與歐美詩之比較

新體詩之格式，既從歐美輸入。故吾論中國詩與歐美詩之比較，亦與本題有密切之關係。欲比較彼此特殊之點，可錄中英文互譯詩四首於左，以見一斑：

李白獨坐敬亭山

衆鳥高飛盡；孤雲獨去閒。相看兩不厭，只有敬亭山。

前詩英文譯本

The birds have all flown to their roost in tree,
The last cloud has just floated lazily by;
But we never tire of each other, not we,

As we sit there together —
Mountain & I.

雪蘭冬日詩　A song.

A widow bird sat mourning
for her love
Upon a wintry bough;
The frozen wind crept on
above,
The freezing stream below.

There was no leaf upon the
forest bare,
No flower upon the ground,
and little motion in the air
Except the mill-wheels sound.

T. B. Shelley.

前詩中文譯本

孤鳥棲寒枝，悲鳴爲其曹。池水
初結冰，冷風何蕭蕭。荒林無宿

葉；瘠土無卉苗。萬籟盡寥寂，惟聞喧桔皋。

細觀以上四詩，就文字結構而論，則中國詩實比歐洲詩爲佳。卽簡潔與整齊是也。此係各國文字根本上不同之故，如歐文 of, in, as, on, upon, to, 等字，須用處太多。往往一句之中，必須有此等字加上，方能結構成句；若中文則此等贅字甚少，其在詩中更絕無而僅有。今新體詩多用的字，了字，我們，他們等字，以致不能簡，不能整。是卽傳染歐洲詩之病也。

第七章　新體詩與舊體白話詩比較

雖用白話，取其能普及一般社會，此新體詩之特長也。然舊體詩之中亦正不少白話詩。今試略舉數首如下，以資比較：

李白夜思

牀前明月光，疑是地上霜。舉頭望山月，低頭思故鄉。

孟浩然尋菊花潭主人不遇

行至菊花潭，村西日已斜。主人登高去，雞犬空在家。

袁凱京師得家書

江水三千里，家書十五行。行行無別語，只道早還鄉。

貢性之湧金門見柳

湧金門外柳垂金，三日不來成綠陰。折取一枝入城去，教人知道已春深。

唐寅一世歌

人生七十古來少，前除幼年後除老；中間光景不多時，又有炎霜與煩惱。花前月下得高歌，急須滿把金樽倒。世上錢多賺不盡；朝裏官多做不了。官大錢多心轉憂，落得自家頭白早。春夏秋冬撚指間，鐘送黃昏雞報曉。請君細數眼前人，一年一度埋芳草；草裏高低多少墳，一年一半無人掃。

舊體白話詩，亦幾乎人人能解；然其結構之整齊，聲調之悠揚，比新體詩爲優矣。

第八章　新體詩與舊體寫實詩之比較

新體詩貴乎寫社會實在的情形，亦爲其特長。然舊體詩亦有之。茲錄數首如下：

白居易賣炭翁

賣炭翁，伐薪燒炭南山中。滿面

塵灰煙火色，兩鬢蒼蒼十指黑。賣炭得錢何所營？身上衣裳口中食。可憐身上衣正單，心憂炭賤願天寒。夜來城上一尺雪，曉駕炭車輾冰轍；牛困人飢日已高，市南門外泥中歇。翩翩二騎來是誰？黃衣使者白衫兒。手把文書口稱敕，迴車叱牛牽向北。一車炭重千餘斤，官使驅將惜

不得；半匹紅紗一丈綾，繫向牛頭充炭値。

戴淯倉草謠

縣倉官買米；野田民食草。民命豈足惜；官位自當保。六城報單來，今年豆麥好。

又賣兒嘆

棄兒非不仁，盎中久無粟。賣之與富家，倘得飽爾腹。爺娘攜錢

歸。一文一寸肉!

以上不過略舉數首，以見一斑。如白居易之秦中吟，新樂府，可謂全體如此。所敘之事，皆實實在在；對於平民，尤能代訴所苦。今日新體詩家無以過此也。

第九章　新體詩與歌謠之比較

中國文字，天然簡潔明淨。故雖閭巷歌謠，亦自成節奏，可詠可歌。茲錄吾鄉山歌兩首如下。此歌命意，本無足取；但觀其音節格調，視新體詩爲何如耳。

其一

的的(俗語猶言小也)姑娘快活多。走進門來便唱歌。手挾金弓銀彈子，百花園裏打鶯哥。

其二

荷花開在我身邊，蓮子如珠粒粒圓。採過荷花採蓮子，搖來搖去一枝船。

第十章　新派詩之出現

新舊體詩互有長短，既如以上各章所言。舊體詩中，雖亦有兼備新體之長者，然在舊體中，究居少數。今所提倡之新派詩，即以此等詩為標準，用以描寫今日社會情形，及發揮最新思潮。略舉其條例如下：

(一)命名。　名曰新派詩，以別於舊體，亦別於新體。

(二)宗旨。　以明白簡潔之文字，寫光明磊落之襟懷，喚起優美高尚之感情，養成溫和敦厚之風教。（按本作溫柔敦厚，茲易柔字為和字。）

(三)宗派。　以不假雕飾，天然優美，樂而不淫，哀而不傷爲標準。祛除舊體「特別階級文學」「死文學」「空泛文學」「玩好品」各弊。並祛除新體「冗繁，」「不整齊，」「無音節」各弊。

(四)體例。　以五言七言爲正體，亦作雜言。但以自然爲主。絕對廢除律詩。

(五)音韻。　初學不可不知平仄；學成而後，可以不拘。用韻暫以通行本詩韻爲準，其韻目註明相通者相用之。遇必須時四聲通用。

(六)詞采。　不用僻典。（典故爲人所共知者，可用之。但非必不得已，仍以不用爲宜。至於僻典，絕對禁用。）不用生字。

(七)戒律。必有眞性情，好事實，然後以詩發揮之，描寫之。不作浮泛，空疎之詩；不作應酬，干祿之詩；不作限韻，和韻，等詩。

附錄

詩學研究

胡懷琛

要知道詩在文學中，是甚麼一種文字，當先要說明文學的分類。下面兩個表，便是文學的分類法：

文學
- (1)智的文學……禹貢
- (2)情的文學……詩經　離騷
- (3)意的文學……老子道德經

文學
- (1)無句讀的文學……秦楚之際月表
- (2)有句讀的文學……論語
- (3)能唱的文學……詩經　離騷

第一表是從實質上分的，第二表是從形式上分的。將兩表參合起來看，可知道詩的條件有二：

詩
- (1)偏於情的文學
- (2)能唱的文學

反轉來說：偏於情不能唱不算詩；

能唱不偏於情不算詩。看下表自明：

雲騰致雨；露結爲霜。　能唱無情，不算詩。

蒹葭蒼蒼，白露爲霜。　能唱有情，算詩。

洞庭湖裏起了波，湖邊樹木的葉子都落了。　有情不能唱，不算詩。

洞庭波兮木葉下。　有情能唱，算詩。

（附註一）有句讀無句讀，是根據章太炎的話。

（附註二）每首詩未必盡是屬於情，但每首詩終必含有情。

（附註三）近人新詩的通病，便是不能唱。

明白了這個意思，便可澈底知道詩是甚麼一種文字了。至於體例可以不必論，但能合乎上面說明的條件，古體也好，新體也好，長句也好，短句也好，文言也好，白話也好：都可以不必管的。說到作法，只有兩個字的條件，便是「自然。」再要知道詩的價値是怎樣？我們爲什麼要作詩？這句話我不必回答，我只舉古人的三篇文章來代我回答已解釋得明明白白了。三篇文章（一）是白居易寄元微之的書（二）是朱子的詩經序，（三）是陳祖範的詩集自序：如今把他依次抄在下面。

（1）白居易與元九書

夫文尚矣。三才各有文：天之文，三光首之；地之文，五材首之；人之文，六經首之。就六經言，詩又首之。何者？聖人感人心而天下和平。感人心者，莫先乎情，莫始乎言，莫切乎聲，莫深乎義。詩者，根情，苗言，華聲，實義。上自聖賢，下至愚騃，微及豚魚，幽及鬼神，羣分而氣同，形異而情一：未有聲入而不應，情交而不感者。聖人知其然：因其言，經之以六義；緣其聲，緯之以五音；音有韻，義有類；韻協則言順，言順則聲易入；類舉則情見，情見則感易交。於是乎孕大含深，貫微洞密，上下通而一氣泰，憂樂合而百志熙。五帝三皇，所以直道而行，垂拱而理者，揭此以爲大柄，決此以爲大竇也。故聞「元首明股肱良」之歌，則知虞道昌矣。聞五子洛汭之歌，則知夏政荒矣。言者無罪，聞者足戒；言者聞者，莫不兩盡其心焉。及周衰秦興，採詩官廢；上不以詩補察時政，下不以歌洩導人情；乃至於謟成之風動，救失之道缺；於時六義始刓矣。國風變爲騷辭，五言始於蘇李。蘇李騷人，皆不遇者，各繫其志，發而爲文。故河梁之句，止於傷別；澤畔之吟，歸於怨思。彷徨抑鬱，不暇及他耳。然去詩未遠，梗概尚存。故興離別，則引雙鳧一雁爲喻；諷君子小人，則引香草惡鳥爲比。雖義類不具，猶得風人之什二三焉。於時六義始缺矣。晉宋已還，得者蓋寡。以康樂之奧博，多溺於山水；以淵明之高古，偏放於田園；江鮑之流，又狹於此。如梁鴻五噫之例者，百無一二焉。於時六義寖微矣。陵夷至於梁陳間，率不過嘲風雪弄花草而已。噫！風雪花草之物，三百篇中豈捨之乎？顧所用何如耳。設如「北風其涼」假風以刺威虐也。「雨雪霏霏」因雪以愍征役也。「棠棣之華」感華以諷兄弟也。「采采芣苢」美草以樂有子也。皆興發於此，而義歸於彼。反是者可乎哉？然則「餘霞散成綺，澄江靜如練。」「離花先萎露別葉乍辭風。」之什，麗則麗矣，吾不知其所諷焉。故僕所謂嘲風雪弄花草而已。於時六義盡去矣。唐興二百年，其間詩人，不可勝數。所可舉者，陳子昂有感遇詩二十首，鮑防有感興詩十五首。又詩之豪者，世稱李杜。李之作才矣奇矣，人不逮矣，索其風雅比興，十無一焉。杜詩最多，可傳者千餘篇，至於貫穿今古，覼縷格律，盡工盡善，又過於李。然撮其新安吏，石壕吏，潼關吏，塞蘆子，留花門之章，「朱門酒肉臭，路有餓死骨。」之句，亦不過三四十首。杜尚如此，況不逮杜者乎？僕嘗痛詩道崩壞，忽忽憤發；或食輟哺，夜輟寢，不量才力，欲扶起之。僕數月來，檢討囊篋中，得新舊詩，各以類分，分爲卷首。自拾遺來，凡所遇所感，關於美刺興比者；又自武德訖元和，因事立題，題爲新樂府者，共一百五十首，謂之諷諭詩。又或退公獨處，或移病閒居，知足保和，吟翫情性者一百首，謂之閒適詩。又有事務牽於外，情性動於內，隨感遇而形於歎詠者一百首，謂之感傷詩。又有五言七言，長句，短句，自一百韻至兩韻者四百餘首，謂之雜律詩。凡爲十五卷，約八百首。異時相見，當盡致於執事。微之！古人云「窮則獨善其身，達則兼濟天下。」僕雖不肖，常思此語。大丈夫所守者道，所待者時；時之來也，爲雲龍，爲風鵬，勃然突然，陳力以出；時之不來也，爲霧豹，爲冥鴻，寂兮寥兮，奉身而退；進退出處，何往而不自得哉？故僕志在兼濟，行在獨善。奉而始終之則爲道，言而發明之則爲詩。謂之諷諭詩，兼濟之志也；謂之閑適詩，獨善之義也。故覽僕詩者，知僕之道焉。其餘雜律詩，或誘於一時一物，發於一笑一吟，率然成章，非平生所尙；但以親朋合散之際，取其釋恨佐懽，今銓次之間，未能删去；他時有爲我編集斯文者，略之可也。微之！夫貴耳賤目，榮古陋今；人之大情也。僕不能遠徵古舊，如近歲韋蘇州歌行，清麗之外，頗近興諷；其五言詩，又高雅閒澹，自成一家之體。今之秉筆者，誰能及之？然當蘇州在時，人亦未甚愛重，必待身後，然後人貴之。今僕之詩，人所愛者，悉不過雜律詩，與長恨歌已下耳。時之所重，僕之所輕。至於諷諭者意激而言質，閑適者思澹而詞迂；以質合迂，宜人之不愛也。今所愛者，並世而生，獨足下耳。然千百年後，安知復無足下者出而知愛我詩哉？

（2）朱子詩序

或有問于予曰：「詩何爲而作也？」予應之曰：「人生而靜，天之性也；感于物而動，性之欲也。夫既有欲矣，則不能無思；既有思矣，則不能無言；既有言矣，則言之所不能盡，而發于咨嗟咏歎之餘者，必有自然之音響節族，（音奏）而不能已焉，此詩之所以作也。」曰：「然則所以教者何也？」曰：「詩者，人心之感物而形于言之餘也。心之所感有邪正，故言之所形有是非；惟聖人在上，則其所感者無不正，而其言皆足以爲教；其或感之之雜而所發不能無可擇，則上之人必思所以自反，而因有以勸懲之，是亦所以爲教也。昔周盛時，上自郊廟朝廷而下達于鄉黨閭巷，其言粹然無不出于正者。聖人固已協之聲律，而用之鄉人，用之邦國，以化天下。至于列國之詩，則天子巡守，亦必陳而觀之，以行黜陟之典。降自昭穆而後，寖以陵夷。至于東遷，而遂廢不講矣。孔子生於其時，既不得位，無以行勸懲黜陟之政；於是特舉其籍而討論之；去其重複，正其紛亂；而其善之不足以爲法，惡之不足以爲戒者，則亦刊而去之，以從簡約，示久遠。使夫學者卽是而有以考其得失，善者師之，而惡者改焉；是以其政雖不足以行於一時，而其敎實被於萬世，是則詩之所以爲教者然也。」曰：「然則國風雅頌之體，其不同若是何也？」曰：「吾聞之凡詩之所謂風者，多出於里巷歌謠之作，所謂男女相與詠歌，各言其請者也。惟周南召南，親被文王之化以成德，而人皆有以得其性情之正；故其發於言者，樂而不過於淫，哀而不及於傷，是以二篇獨爲風詩之正經。

自邶而下，則其國之治亂不同，人之賢否亦異，其所感而發者，有邪正是非之不齊；而所謂先王之風者，於此焉變矣。若夫雅頌之篇，則皆成周之世朝廷郊廟樂歌之辭。其語和而莊，其義寬而密，其作者往往聖人之徒，固所以爲萬世法程而不可易者也。至於雅之變者，亦皆一時賢人君子，憫時病俗之所爲；而聖人取之，其忠厚惻怛之心，陳善閉邪之意，尤非後世能言之士所能及之。此詩之爲經，所以人事浹於下，天道備於上，而無一理之不具也。」曰：「然則其學之也，當奈何？」曰：「本之二南，以求其端；參之列國，以盡其變；正之於雅，以大其規；和之於頌，以要其止。此學詩之太旨也。於是乎章句以綱之，訓詁以紀之，諷詠以昌之，涵濡以體之，察之情性隱微之間，審之言行樞機之始；則修身及家平均天下之道，其亦不待他求而得之於此矣。」問者唯唯而退。余時方輯詩傳，因悉次是語以冠其篇云。

(3)陳祖范詩集自序

古無詩人。三百篇可知誰作者，十止得一二。蓋夫人而能爲詩，夫詩而皆有係於時也。古之制，田功旣畢，男女同巷夜績；有所怨恨，相從而歌；飢者歌其食，勞者歌其事；男女老而無子者，官衣食之，使之民間求詩，以備太史之采；是故王者不出戶牖，盡知天下所苦樂，此風詩之所由興也。大抵詩之作，出於無心；則其情眞；又必各有所爲，故其義實。情眞義實，故一國之事，係一人之本；而匹夫匹婦之歌吟，可以察治忽也。後之詩人則異是。彼既以詩自命，人亦以詩相屬；於是外物爲主，而詩役焉，詩爲主而心役焉。以詩役心，則心非其心，特牽於詩耳，詩於是無眞性情；以外物役詩，則作如不作，特緣於外耳，詩於是無眞比興。然而情實彌隱，詞采彌工；義理彌消，波瀾彌富；而又格律以繩之，派別以嚴之，時代以區之；回視詩教之本來，其然乎？其不然乎？古之詩，男女自言其傷，而關盛衰；後之詩，文人學士，敝精勞神，期以鼓吹風雅，反或無與於得失。其故何哉？誠僞之分，醇醨之判也。予於斯事，不求甚解；而竊好反尋其本。收拾舊稿，其無爲而作者去之，其爲人而作者又去之；止存其自吟自止，用適己事者；工拙所不計也。

既明白了詩的價值，和我們爲甚麼要做詩，那便不至於做許多無謂的詩了，也自然而然的做得好了。

至於說到學詩的人，要看些甚麼書？我可介紹幾種在下面：

（1）關於論新詩的著作

胡適嘗試集自序　載嘗試集中

胡適談新詩　原載星期評論增刊後有地處轉載

吳芳吉談詩人　載新人雜志一卷四號

宗白華新詩略談　原載時事新報後有他處轉載

胡懷琛嘗試集批評及討論　單

行本

胡懷琛白話詩文談　單行本

胡懷琛詩與詩人　原載民鐸雜志

胡懷琛新派詩說

(2)新詩集

胡適嘗試集(專集)　單行本

胡懷琛大江集(專集)　單行本

新詩集(選本)　單行本可以參觀

白話詩五百首(選本)　單行本可以參觀

(3)關於舊詩必須選讀的

詩經

楚辭

古詩源(以下選本)

唐宋元明清五朝詩別裁集

陶淵明詩集(以下專集)

李太白詩集

白香山詩集

蘇東坡詩集

陸放翁詩集

王漁洋詩集

施愚山詩集

關於舊詩的書極多，舉不勝舉。但這幾部是頂要緊的，而且和做新詩很有關的。這幾部也不必全讀，只要從他們裏邊揀出自己愛讀的讀便是了。

(4)舊詩話

歷代詩話

歷代詩話續編

清詩話

以上三部書，是叢書的體例；三部之中，包括小部的書幾十部。有了這三部，那一部一部的小書都不必備了。做新詩的人，可隨便翻翻，不是一定要看。

新文學叢書
模範的新派詩 大江集一册
實價大洋二角

上海
版權
國家圖書館印行

中華民國十年三月出版

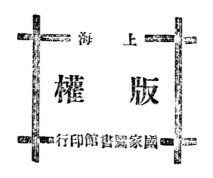

著作者 涇縣胡懷琛
校訂者 崇明陳東阜
審定者 新文學傳習所
印刷者 國家圖書館
發行者 國家圖書館
總發行所 國家圖書館（麥家圈四馬路口）
分發行所 各埠國家圖書館
經售處 各埠各大書店

胡懷琛詩歌叢稿

胡懷琛 著

商務印書館（上海）一九二六年七月初版。原書三十二開。

胡懷琛詩歌叢稿

商務印書館發行

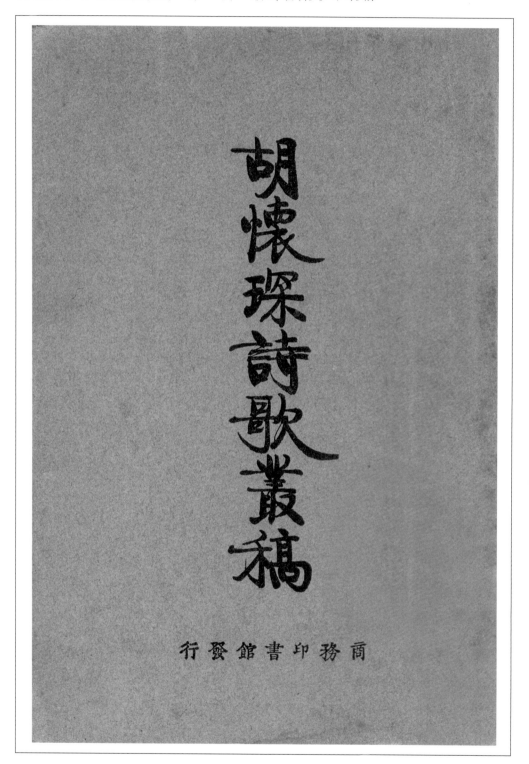

胡懷琛著

胡懷琛詩歌叢稿

商務印書館發行

胡懷琛詩歌叢稿序

余弟寄塵。幼喜爲詩。長而不倦。十五以前。已得詩百數十首。後以其無可取也。盡棄之。弱冠後。遊海上。所作益多。世爭以能詩稱之。然寄塵不自以爲足。孜孜研究不輟。十五載而還。學與日進。今乃輯其所作。共得若干首。都爲一集。將刊行問世。其間有新有舊。不囿於一宗一派。是非長短。讀者自能辨之。惟余家數世能詩。及寄塵學詩之勤。爲人所未知者。輒爲一言及焉。先祖復初公。性淡泊。不慕榮利。獨好吟詠。著養拙齋詩存一卷。先父愛庭公。亦好爲詩。有詩稿一册。未分卷數。余兄弟三人。少讀書。皆能詩。長兄伯春。爲詩不多。而往往有性靈之作。余爲詩畧多。嘗有樸學齋集。然爲之未若寄塵之勤也。余姪惠生。子犖。余女潼平。年雖少。皆粗解吟詠。夫自先祖至余子姪輩。能詩者蓋四世矣。寄塵之以詩名者。豈偶然哉。況寄塵爲學之勤。尤有足述者。年十三。即手自抄錄古今詩十餘厚册。旋以字不工。悉毀棄之。然其詩已強半能成誦矣。是時學爲詩。即要然可觀。今雖刪而不存。然余猶記其一二斷句。如送伯兄之廬陵云。曉霜一擔重。落日片帆遲。偶成云。倦將書作枕。耕藉硯爲田。皆不似兒童語也。弱冠而後。學唐。學宋。學漢魏。苦吟深思。不苟下一字。及其成也。乃復歸於自然。蓋幾幾乎可傲古人矣。近乃復爲新詩。又喜譯西洋詩。其變化遂不可究悉。寄塵又謂古之詩人。但有修養。工藝術。而不明詩理。今之談詩者。又但言詩理。而乏修養。不甚解藝術。能兼之者。曠世不一遇也。又云。今人談詩。多以民歌爲主。或又以樂歌爲詩之正宗。而余以爲宜區爲三類。一民歌。二樂歌。三文人詩。蓋陶元亮及李杜之作。非民歌也。亦非樂歌也。然談詩者不能棄而不取。此所謂文人詩也。文人詩始於蘇李。直至今日。代有作者。舊以文人詩爲正宗。尙非也。今棄文人詩不道。亦非也。此寄塵論詩之大略也。其著爲專書者。有中國詩學通評。中國八大詩人。新詩概說。小詩研究。中國民歌研究。約二十萬言。皆已次第刊行。其方著述而未脫稿者。有中國詩歌與哲學。平民詩人。中國樂歌研究。他山詩話等。居海上繁華之地。屏棄一切外物。而惟以詩自樂。蓋其勤如此。寄塵苟自此而愈勉焉。則他日成就。或未可量也。兄樸安序。

仲兄爲余作詩稿序。余受而讀之。曰。譽我得毋太過。仲兄笑曰。否否。昔蘇子瞻之贊子由。猶過於我也。因相與一笑存之。胡懷琛記。

潘蘭史先生手寫見贈詩稿

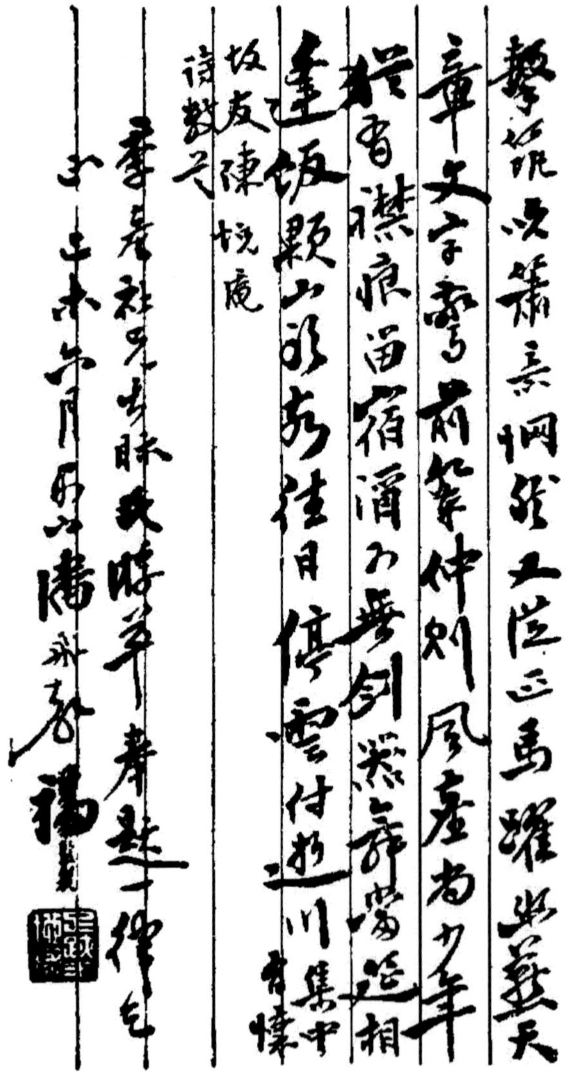

剛忘了昨兒的夢，
又分明看見夢中的一笑

小詩一章

寄塵先生索書，

適

塵世原如夢誰非夢裏人夢中還說夢非夢亦非眞

適之先生手書寫情舊作見贈賦此答之胡懷琛

人病　　徽陽

人病墨池乾南風六月寒肺枯紅葉落身瘦白衣寬入世兒儕笑當門景色闌昨宵夢王母猛憶少年歡

右爲弘一上人手寫詩稿民國元年寫此相贈時上人尚未出家也今覽此篇如見故人胡懷琛記

吾家故宅在此橋東北數十步山水佳處也久客他鄉偶一披此爲之惆悵不已胡懷琛記

（參看本書今樂府中思故鄉歌）

胡懷琛詩歌叢稿總目

目錄

秋雪詩

京漢道中

飽看江山五日程。驅車今又向燕京。掠人樹木匆匆去。入眼峯巒刻刻更。北地民風猶樸魯。中州文物已凋零。此行正値春將暮。滿地萋萋麥草青。

莫春野行

宿雨昨宵霽。萬木淨如洗。遠山含朝曦。綠入書窗裏。折柬招良朋。出門著芒履。莫坐斗室中。戚戚無時已。

野行多佳趣。風光隨處好。桑麻綠成陰。叢竹礙飛鳥。著雨麥苗垂。入夏菜莢老。斷石誰家墳。一半埋芳草。人去獨碑存。碑亦難常保。俯首有所思。孤懷不能道。

寄亞子

聞道柳公子。無端丁此憂。我亦抱憂者。今日淚重流。瑟瑟一天雨。蒼蒼滿目秋。況余更飄泊。湖海十年遊。

憶亞子

葡萄美酒色深紅。銀杓晶盤炙鯉熊。燈火管絃歡未已。淒然忽憶柳河東。

偶成

斗室纔容膝。潛居避市囂。孤懷原落落。短夢亦寥寥。疎雨稀可數。秋陽淡不驕。閒愁亂如許。未信酒能澆。

偶爾成孤坐。繁憂不可論。風霜凋短鬢。哀樂昧靈根。殘夢杳無着。秋陰黯有痕。強成數十字。聊自遣黃昏。

贈陳蛻盦先生

先生買棹作南旋。我爲飢驅困市廛。旅覊相逢多難日。盛衰深話晚涼天。撚鬚覓句得佳趣。忘齒論交到少年。一局殘棋未堪問。感時傷別各淒然。

送客

燈初酒半忽憂惔。旅況離情各不堪。昨日喜逢今日別。一厂兩人征北一人南。楚傖兩平一厂幽懷念汝故山好。一厂冷眼看他春夢酣。楚傖此景讓君先領取。海天煙雨逼晴嵐。

和潘蘭史感舊作

袖手高樓思悄然。疎星銀漢影娟娟。舊歡已杳未能續。華月無聊强自圓。末俗抗懷倡風雅。歌筵揮涕話山川。次公骯髒猶豪興。自寫新詩滿短箋。

過龍華

是我舊居地。前遊猶未忘。夕陽自明滅。秋葉雜青黃。寂寂佛頑睡。狺狺犬太狂。寒蟬私笑我。一載爲誰忙。

珠宮

珠宮貝闕逞奇觀。如蟻千人袖手看。風急彩旗化龍舞。天空萬火似星團。可憐往日無窮血。空博今宵一刻歡。我自倦遊意惆悵。歸車回首望長安。

高太癡席上和潘蘭史

落落情懷與古隣。早從塵網脫吾身。琴樽徵集聊為樂。風雅撐持要有人。孤道強來爭末俗。華筵底事悵前塵。寄言時彥休譏議。冷醉閒吟至苦辛。

集唐

曲徑通幽處。（常建）小橋穿野花。（儲光羲）偶然值鄰叟。（王維）邀我至田家。（孟浩然）

送亞子歸梨里

江鄉木落晚秋寒。送客江頭淚暗彈。十日匆匆成聚散。兩人各各有悲歡。商量偕隱謀非錯。檢點逃禪事亦難。風雨瀟騷天意惡。祝君歸去強加餐。

集陶淵明句

歲月不待人。涉暑經秋霜。蕭蕭哀風逝。荒草何茫茫。古時功名士。今宿荒草鄉。有生必有死。憶此斷人腸。王母怡妙顏。萬歲如平常。

昭昭天宇濶。淡淡寒波生。懸崖歛餘暉。歸鳥趨林鳴。四時相催迫。倏如流電驚。不見相知人。終以翳吾情。

登高餞將歸。迢迢百尺樓。山川一何曠。宇宙一何悠。四面無人居。惟見古時丘。且進杯中物。忘彼千載憂。

靡靡秋已夕。亭亭月將圓。佳人美清夜。取琴爲我彈。清歌散新聲。寧效俗中言。哀蟬無歸響。紛紛飛鳥旋。含馨待清風。榮榮窗下蘭。

栖栖失羣鳥。去去當何極。出門萬里客。遙遙從羈役。淒淒風露交。柯葉自摧折。靜念園林好。安得久離析。

負痾頹簷下。何以稱我情。委懷在琴書。遂與塵事冥。酒能祛百慮。杯盡壺自傾。孰若當世士。但願世間名。

微雨洗高林。澗水清且淺。虛舟縱逸棹。我行未云遠。此中有眞意。悠然不復返。

人生似幻化。知有來歲不。念此使人懼。及辰爲茲遊。崎嶇歷榛曲。悠悠迷所留。故老贈余酒。酒云能銷憂。得歡當盡樂。吾行欲何求。

集李長吉句

莎老莎雞泣。閉門感秋風。秋風吹小綠。細露溼團紅。燈青蘭膏歇。宵寒藥氣濃。三年去鄉國。神劍斷青銅。

又二首

彈琴石壁上。竹雲愁半嶺。月從東方來。心曲語形影。

嘹嘹溼蛄聲。悠悠飛露姿。汀洲白蘋草。石氣何淒淒。

贈蔣萬里

膂子名萬里。前途何其長。何爲久鬱鬱。蟄居窮愁鄉。有時獨悲歌。意壯詞激昂。有時夜起舞。神劍吐光芒。立功志未死。攬鏡鬢未霜。朔方正多事。班張毋久藏。會當靖邊塵。聲名播八方。

隆冬氣肅殺。蕭蕭北風寒。易水終古流。不見荆軻還。慷慨獨長征。策馬越關山。堅冰凝狐裘。積雪沒離鞍。回憶江南樂。豈不心悲酸。丈夫有懷抱。志在斬可汗。不然仗神劍。慷慨誅阿瞞。安得守故鄉。蹉跎凋朱顏。

海上雪

天上羣龍戰鬭狂。玉鱗瑶甲亂飛揚。萬家息動歸閒寂。一鳥銜寒入渺茫。冷壓樓臺危欲墮。浩歎燈火薄無光。披裘獨往爲何事。贏得詩添長吉囊。

簡蛻菴老人

記得探梅曾有約。偶然睽隔又旬盈。不知聽雪圍爐坐。撚斷吟鬚第幾莖。

集韓致堯香奩集句

尋思往事在心頭。情緒牽人不自由。雲薄月昏寒食夜。夜深無伴倚南樓。

題香奩集發微後

自吟自淚無人會。（集中句）千載知音爲發微。香草美人多寄託。離騷鄭衛豈同歸。

贈孟碩

天地一囚獄。萬古閉不開。豈必君至此。始爲縲絏羈。一自國政亂。誰念小民哀。中州患烽火。四方苦饑饉。老弱多死亡。少壯亦流離。化日不可覩。但見風雨淒。廻君囹圄外。欲言已無辭。

蘭史招集蓢淞閣賞芍藥與黃賓虹邵次公分韻得盂字

犬白鵝黃三十一。（劉父如芍藥譜三十一品）繁枝交影在盤盂。已看佳種誇金帶。況復醇醪買玉壺。垂幕春還爲君駐。（時立夏已數日看花人不知春去也）似泥花亦笑人迂。（李白詩笑殺山公醉似泥）莫言此會尋常事。美景良辰不易俱。

春日集家兄寓齋和陳巢南韻

不定陰晴日易斜。江南三月落櫻花。殘英片片飛紅雨。一盞深深泛碧霞。小聚故人聊自樂。且供春筍未爲奢。誰知冷醉閒吟客。別抱傷心未有涯。

寄楚傖

飛觴市樓有人醉。閉戶病榻無客過。酒盞藥鐺各狼藉。殘春一例够消磨。

雜詩

淸愁來何方。夜半襲我懷。披衣起躑躅。誰知肝腸摧。皎皎孤月明。蕭蕭北風哀。歲月一何速。逝者不復回。蹉跎復蹉跎。坐使朱顏衰。

太白久已死。子美今不生。空留一卷詩。寂寞身後名。悲哉郊島輩。三年兩句成。苦吟豈不勞。各以宣其情。秋蟲與春鳥。安能已其鳴。

暮秋寒信至。長空悲風號。浮雲何慘淡。落葉亦蕭蕭。于役一萬里。游子豈不勞。中夜思故鄉。涕淚沾巾袍。

題蔣萬里振素盦詩稿後

足跡半中國。棲身地竟無。可憐無俗骨。宜汝作寒儒。耿耿寸心苦。茫茫吾道孤。短詩題卷尾。珍重話歧途。

書感追送亞子歸梨里

文將紓困計全非。酒以排愁力已微。孤憤待喧還自寂。故人難聚況今稀。（謂蛻菴亞雲）天涯黯黯看春盡。海上年年送汝歸。此去知君足消遣。春山十幅列屏幃。

示程善之（時余與君皆撰說部）

心地癡頑辭旨淒。搜神志怪競爲奇。要知史亦參疑信。底事文成雜笑啼。落拓孤心豈終沒。苦辛舊事莫重提。千家爭說虞初志。別有艱難誰識之。

贈王漱巖

不見王摩詰。於今已五年。市樓一日集。感舊倍淒然。但有人如酒。（用如飲醇醪故事）何妨屋似船。明朝便分手。珍重贈斯篇。

聞歌

微風起夏夕。隔院聞清商。借問誰歌者。而能此抑揚。露涼人寂寂。月白夜蒼蒼。萬里倚樓客。如何不斷腸。

覩雨

高樓縱遠目。雨勢在東方。秋意颯然至。塵襟爲一涼。天光青黯黯。海氣白茫茫。安得雙羽翼。便欲凌風翔。

佳人

佳人來何許。道是邯鄲倡。粉豔花無色。珠明月斂光。短歌自蒼老。細語最淒涼。腸斷不能飲。誰教汝侑觴。

雜詩

美人怨遙夜。起坐彈鳴琴。一唱再三歎。惜哉無知音。嗁螿知天寒。落木知秋深。對此感遲暮。悽惻傷我心。

答傅鈍根

一紙三年事。能知別淚多。秋殘吳淞雨。木落洞庭波。避世計亦得。懷人意若何。孤燈昏病眼。此簡幾摩挲。

病中至徐家花園

如何戚戚獨離憂。分付膏輪半日遊。垂柳數行黃晚照。孤花一莖瘦深秋。暫來曝病意亦適。偶此成吟詩自幽。眼見園林有衰盛。（聞愚園已易主）當知身世似浮漚。

贈亘平

一病頹唐臥晚秋。勞君親自慰余愁。何當一棹同歸去。分付幽愛與白鷗。

題亞子分湖舊隱圖

寂寞荒江一病夫。故人有字慰愁軀。十年我作離家客。惆悵分湖尺幅圖。

題馬小進居庸秋望圖

絕壁懸崖扼形勝。亂鴉衰草閱興亡。居庸關上悲秋客。匹馬西風意莽蒼。

春日寄仲兄閩中

薄酒成孤坐。輕寒悵遠離。潮生殘夢白。日落暮愁低。海扇占春信。（閩小記曰海中有甲物形如扇其文如瓦屋惟三月三日潮盡乃見名曰海扇）仙芽問武彝。芳蘭倘能遺。（去聲）相答寄楊枝。（閩中柳不多見）

春柳

去年見汝凋零日。轉眼枯枝已向榮。雙鬢鏡中更憔悴。低徊對此感浮生。

贈亞子

海上相逢已隔年。每談往事一淒然。風流銷歇何消說。地覆天翻在眼前。

示某君

荻花楓葉只尋常。美酒葡萄亦激昂。第一婀娜龍女筆。最難莽蒼（上聲）寫錢唐。

和鵷雛韻

一燈背月閃深廊。曾覺秋宵漸漸長。寒蜂悲風心萬里。敗荷涼雨刦千場。已慣硬飯傻衰胃。況耐艱詩苦澀腸。敢道諸緣都懺盡。難言深意只微茫。

贈王均卿

東晉風流數大家。至今子弟擅才華。蘭亭筆寫通明奏。乞借春陰爲護花。隳險揮灑試柔毫。一種風懷自可豪。不減君家當日事。旗亭畫壁鬱輪袍。

與仲兄夜話

兄弟相看多難日。禿毫短燭寫殘詩。隔江依約聞歌舞。時事淒辛話亂離。黃浦月明萬營蕭。白門秋老一城危。茫茫大刦無終始。輪轉興亡到幾時。

戲擬文與可可笑口號七章之一

可笑書生不怕窮。典衣買書插架中。書多日短看不盡。富翁置產將毋同。

贈江山淵

談經嶺海稱家學。說稗江湖算異才。別有傷心來塵底。大明舊事劫餘灰。（君方撰劫餘殘灰錄）

小病

偶然臥雨在胡牀。一病蕭蕭鬢已霜。衣角紋生千縷皺。硯坳霉積二分長。脾傷漸畏新茶烈。腦損能教熟字忘。強爲驅車出門去。夕陽衰草已茫茫。

初秋聞雨

兩鬢蕭蕭雨一窗。病眸黯黯背銀釭。太空浩漫渾疑海。大地浮沈便似艭。過眼流光潛自換。當風暑勢已先降。因知夜半涼如水。暗識秋潮上浦江。

秋日寄家兄燕京

短筆寥寥語已稀。欲言無盡暗相依。應時略寫江南景。黃浦秋潮蟹子肥。

中央公園

金瓦丹樓舊帝鄉。當年春夢付殘陽。至今能與民同樂。到此方知塵不揚。一角春明聚裙履。春明館 四朝老柏識興亡。園中老柏婆娑皆元明物也 園林曲折尋常事。落落如斯亦大方。

燕趙吊古

驅車走燕趙。吊古心悲傷。古跡千年古。長城萬里長。風沙天黯淡。雲水海蒼茫。不見遊俠士。空餘淚滿裳。

渤海舟中

頭上風濤日夜奔。橫支孤枕壓驚魂。迷離斷夢在何處。天外青山髮一痕。

泊舟煙臺即事

半窗殘夢落煙臺。獨自憑欄倦眼開。暮雨買帆如鳥去。小舠海叟賣魚來。陳編蝕盡當年事。時方讀史夜話還餘亡國哀。聞鄰客談越南亡國事便欲攜家訪徐福。水天何處是蓬萊。

津榆道中

換盡貂裘醉不成。天涯猶是作長征。人經憂患難爲客。笛到幽燕已變聲。歷刼千年城獨在。出關八月柳先零。幾時歸去江南臥。相對黃花插膽瓶。

至新世界見英人操練印兵有感

鬱鬱難消此日長。振衣聊當陟高岡。胸頭忽有蒼涼感。斜日西風跑馬場。

寒夜戲書答家兄

呵凍吟詩太苦辛。嚴寒鬢上有層冰。性情本與冷相近。便過隆冬未必溫。

題周芷畦水村第五圖

管領煙波要此身。靈芬而後又逢君。扁舟我若移家去。願作湖濱第六人。

鵷雛自星洲歸滬過訪卽贈

炎方萬里歸來客。卻過空齋話別情。猶是三年前外事。西風落日打門聲。

荒江秋雨又相逢。同感生涯似斷蓬。劍膽簫心當日事。相期收拾入平庸。

題王尊農十年說夢圖

君將說夢當傳經。妙理玄言付我聽。倦去閱人雙眼白。興來談鬼一燈青。鹿蕉得失參機透。蜃海樓臺吐氣成。莫道十年容易過。何如長夢不須醒。

題漚社雅集圖

生涯不辨晉秦朝。蟹舍漁村借一巢。喜有煙波容我住。那知風浪打天高。水邦盟約無須主。海客機心久已消。吾比白漚却多事。一圖辛苦倩人描。

題潘老蘭夫人梁佩瓊所著飛素閣遺集

前生原是許飛瓊。欬唾珠璣頃刻成。絕妙好詞終古在。何須人世羨長生。

題徐仲可女公子新華女士遺畫

銀箋一角寫春山。丰致蕭疎意態閒。落筆早無煙火氣。何能長久住人間。
風雅名門夙播揚。才媛千古說璣章。如何今日純飛館。絕似當年午夢堂。

擬陸放翁村居詩

亂書爲枕竹爲牀。暫得偸閒便自忘。薄酒留賓烹筍食。簡方療肺煮梨嘗。茶脾差勝當時健。詩思初抽一縷長。雨後踏青出門去。垂楊暗裏換春光。

過江詩

明錢允輝有過江詩云。三國舊愁春草碧。六朝遺恨晚山青。怨而不怒。最爲可誦。惜兩句是一意。稍不足耳。余於己未渡瓜州。至維揚。因作此詩。寫示高君吹萬。傅君君劍。家兄棧安。時三人方自金焦歸也。

叩舷何事費低吟。舉目蒼茫感喟深。六代江山留畫本。一天風雨入詩心。眼前已見金甌缺。（指鎮江租界）水底難尋鐵鎖沈。怕是蛟龍聽詩出。浪花如雪溼衣襟。

題京錫游草

游草、高君吹萬、傅君君劍、家兄樸庵、游金焦梁溪紀行詩也。余亦於前月。至金焦。今三人出示此稿。題一律於卷端。以發一笑。

我亦京江江上客。此游可惜不同行。拓碑健臂輸吾友。長嘯高懷讓老兄。北固勝形今已失。南朝殘夢可曾醒。詩囊真有乾坤大。收入金焦兩點青。

答范君博

絕代佳人翠袖寒。賣珠歸去強加餐。瑤琴已覺知音少。春雪於今莫浪彈。

五月二十一日作

五月二十一日。家兄安集同人於禪悅齋。慨時傷事。悵然賦此。呈同座潘老蘭、龐青城、童心安、梅長木、蕭蛻公、傅鈍根、王蓴農、諸先生。

五月江天冷似秋。琴尊徵集漫登樓。繁華歷歷同歸眼。風雨瀟瀟正打頭。便齩菜根難作佛。（禪悅齋專售素饌）也無酒力可消愁。明朝更欲何排遣。不若扁舟散髮遊。

題澧陵兵燹圖

披圖我為一潸然。慘狀紛呈到眼前。日暮梟啼澧城雨。夜深鬼泣淥江煙。刦灰累月留殘火。斷井誰家認故磚。第一傷心文士筆。淚襟細把汴園編。（汴園淚襟錄明末人紀流寇圖汴城事也）

早春

暇日借書抄。憑他慰寂寥。夢多如霧重。愁薄逐冰消。細雨沐苔髮。輕寒勒柳條。春光在何許。試問杏花梢。

讀宋九僧詩喜其清瘦中有禪理因擬一首

老芋巖猿掘。寒泉電火烹。理從玄外得。心到悟時清。獨坐便成我。空山自有聲。蒼松奮長臂。猶苦憤難平。

詠物

山行苔染屐。帶得青入門。明日尋舊徑。屐齒依然存。苔

蕭疎半老柳。丰韻猶未歇。臨流照瘦影。相顧自淒絕。秋柳

亭館金樽歇。寂寞誰家園。佳人倚高樹。脈脈獨無言。落花

蒼龍不上天。化爲巖下松。鬱鬱不得意。夜夜吟悲風。老松

題畫

帆飽知風健。雲開滿日明。騷人無限意。寄託在滄溟。

鷗社第二集分韻得小字

世事翻騰如海瀾。世上閒人似鷗鳥。煙波往來一身穩。湖山閱歷兩眼飽。春申江上偶然集。不約相逢情更好。四海五湖論交情。促膝何嫌一樓小。或自大明泛雨至。猶有煙光在襟抱。(孫小舫)或自西湖載酒來。衣上酒痕溼未了。(徐仲可)太湖蓼花秋水深。(王蓴農 王大覺)洞庭木葉楚天曉。(傅鈍根)更有皤鬚番禺叟。策杖翩然來嶺表。(潘老蘭)嗟我故鄉懷皖國。程途迢遞煙水灝。(汪子實及憲兄弟)莫問東西南北人。相逢且把一樽倒。蘭亭褉此第二集。竹林賢者比我少。清閒聊可半日偷。著作難望千秋保。浮蹤明日又如何。世事茫茫那可道。

閒門

閒門兀兀欲如何。無地容吾放浩歌。世故飽經眞意少。文章常作牢詞多。虛名一任人呼馬。小住初宜屋似螺。保取心靈終自在。等閒未必肯消磨。

風雪中過徐園感舊

當年載酒此曾臨。今日雙扉鎖院深。一樣驅車門外客。可憐風雪滿衣襟。

宇宙

宇宙蒼茫一短檠。孤蛩伴我坐三更。琴樽舊夢隨潮落。湖海閒愁帶雨生。漸覺猖狂都未是。最難譽毀付人評。可憐杜甫傷心語。寂寞千秋萬歲名。

夜坐

坐盡殘燈午夜餘。靜中心慮得澄虛。愛聽盆底承簷溜。絕似山僧打木魚。

爲范煙橋題鴟夷釀詩圖鴟夷酒器也

問汝緣何把酒杯。好詩本要酒相催。試看李白驚人句。都是鴟夷釀出來。

煙橋答詩謂余不飲酒而能詩云云再成一絕句寄之

縱然杯酒不勝傾。大膽吟詩一座驚。曾飲長江千里水。胸中風浪不能平。

書天笑公園晚坐詩後

天笑公園晚坐詩。以柳比髮。以新月比梳。絕妙。余因憶黃山谷詩云。月高雲插水晶梳。二人可爲異曲同工。而天笑詩婉媚。尤過於山谷也。讀罷爲題一絕於其後。

月梳雲髮黃山谷。柳髮今傳包朗翁。只是等閒數行字。令人神往此園中。

贈柳亞子

幾時不見柳屯田。燈下相逢一黯然。君氣自豪吾倦矣。鬢絲非復是當年。

愧余百事總無成。只學書場柳敬亭。要把千秋興廢感。從頭說與別人聽。

送寒雲北行

五年渴慕一相見。彼此無言君又行。多少中原興廢事。幾時法曲可重聽。（初訪君時聽君度曲）貧絕曾無買酒錢。（同人置酒公餞余未參與其間）送君只有一詩篇。京華可有江南好。能不臨歧一黯然。

題家兄樸學齋話酒圖

士生亂世眞無用。白日堂堂付酒樽。一聖一狂憑汝學。陶淵明與信陵君。

題柳公望分湖訪舊圖

吳越分疆此一湖。前人傳說半模糊。憑君滿腹興亡感。來作分湖訪舊圖。

贈何海鳴卽題其詩存

哭能蒼生淚眼枯。年年載筆老江湖。問君斗室孤燈夜。能葬心頭哀感無。眼枯集葬心集皆詩存中集名也

慷慨悲歌意漸平。只餘秃筆寫閒情。倡門猶說當年事。天保城頭十萬兵。

雨後

冷雨疎煙做晚涼。雨餘明月吐清光。始知浴能天然美。不用雲羅助晚粧。

禪心

不須海上覓蓬萊。只在心頭領取來。但得忙中閒一刻。眼前咫尺有樓臺。
分明認識是天空。忽爾空中有彩虹。悟得色空空色理。霎時虹又滅無踪。
自古無悲也沒歡。若斯便作若斯觀。勸君莫問安心法。心本無心不用安。
無去無來也不留。無身無尾也無頭。勸君何必求眞理。眞本無眞何處求。

夜雨

霜林老樹葉聲枯。小屋低窗雨點粗。陡憶十年前外事。扁舟風浪泊江湖。

早春新月

早春新月已娟娟。初試雲羅怯嫩寒。妬殺東風狂似虎。黃昏吹汝落西邊。

論詩

陰曆甲子新年。閉門無事。取古人詩集讀之。得我所最心折者八家。察其人之性情環境。論其詩之特色。並淵源支派。共得四萬字。編次成書。既畢。總題六絕句於卷端。

屈子離騷號楚辭。南方文派此宗師。一編哀豔兼幽怪。湘雨巫雲萬古悲。右屈靈均

浩然元氣在胸中。流露成文自不同。便說青蓮少含蓄。未能平淡步陶公。右陶淵明李太白

寫實詩篇語却工。千秋此派幾人同。自從杜少陵之後。有個山陰陸放翁。右杜子美陸放翁

街頭孩子村間婦。解唱香山粗俗詩。畢竟只憐長恨曲。誰知諷諭有微詞。右白香山

大蘇才力亦奇雄。一吐胸懷氣似虹。參到甚深微妙處。禪心詩意本相通。右蘇東坡

敦厚溫柔三百篇。風人微旨憶當年。可憐多少談詩客。誰識漁洋是嫡傳。右王漁洋

題胥山老農蒲石畫冊

老農逸興自蕭疎。乘興揮毫寫此圖。數葉菖蒲一拳石。畫師描煞不能如。

夜雨

小樓春意釀初成。枕上蕭蕭夜雨聲。却是杏花消息斷。只催白髮一莖生。

清宵

清宵細細耐春寒。單枕重衾把夢安。安字如安置之安 一顆愁心如缺月。被誰剜去不能團。

龍華

遊蹤偶過高昌廟。十二年前舊戰場。借問龍華萬桃樹。眼中曾閱幾滄桑。千紅萬紫春無價。寶馬香車人欲狂。爭把韶光看珍重。折枝成束壓歸裝。

俗歌二首立夏後一日作

梅子未黃麥又青。此時無情還有情。一邊日出一邊雨。天公啼笑不分明。

紅襟燕子相思鳥。紅朵玫瑰相思花。燕子老去花落盡。春光今又在誰家。

晚秋聽蟲

才言又止怨無窮。掩抑誰知語轉工。饒有詩人忠厚意。豆棚蟲語咽秋風。

感事

予意將言却又遲。待尋利翦斷柔絲。那禁風雨瀟瀟夜。苦憶湖濱盪槳時。

十三年九月七日作

短詩隻句不成吟。往復誰知此意深。亂世文章工掩抑。中年憂患苦侵尋。蠹魚斷簡千秋刦。蟋蟀孤燈萬里心。蠟燭燒殘灰欲冷。更無熱淚滴衣襟。

幾次成家與破家。亂離暗暗老年華。民生今已輕如芥。國政何堪亂似麻。秋雨寒蛩啼夜半。西風一雁在天涯。故園迢遞無歸路。安得東陵學種瓜。

戰後

聞說初停戰。瘡痍尚未平。可憐天末客。難慰刼餘生。大路多剽匪。荒街有病兵。少陵離亂語。讀罷淚沾纓。

陳默盦吳衡之招飲賦贈

木落江南秋暮天。高齋此日集羣賢。性情結友先遺俗。湖海論交不問年。樽外滄桑付塵夢。琴邊談笑亦因緣。野人飽啖蘋婆果。卻負肥魚大肉鮮。

再示陳默盦吳衡之

獨搔短鬢問蒼天。亂世能狂已算賢。雙十韶華眞艸艸。重陽風雨自年年。琴樽聊與抒孤憤。蔬果無妨證夙緣。疏散我慚詩筆拙。墨痕黯淡不能鮮。

病中偶成

千年舊事費低吟。萬古閒愁在此心。強以三餐支日永。偶然一病識秋深。舊爐新火茶聲老。淡月疏簾菊信沉。予意但憑文字遣。墨痕狠藉在衣襟。

春夜

撼屋春風似虎狂。窺人新月作新粧。詩心漸欲如禪定。吟到天明句已忘。

早秋二首

早秋風力透襟涼。疏雨如繩晚日黃。記得故園當此候。自收新芋恰能嘗。

天性疎慵不理生。硯田積墨懶於耕。興來偶一翻青史。纛跡叢殘敗與成。

旅行雜詩

金焦維揚旅行雜詩

民國八年四月。上海南洋女子師範、湖州旅滬女學、兩校生徒。結伴作金焦維揚之游。余亦偷閒同往。女生請賦詩記其事。既歸。因成十四章示之。並呈同游諸君。同游者凌銘之、張念遺、沈季鳴、溫善堯、吳若安、李張瑞、紀俠中、諸先生。及兩校生徒。共八十四人焉。

朝曦纔上霧初收。十里芳郊曉色浮。殘睡迷離猶未足。飆輪載夢過蘇州。

汽車曉發上海。過蘇州作。

春蕪一片喜初晴。兩岸平疇夾水清。五里菜花三里麥。中間安頓一帆行。

吳地平衍。溝渠四通。水狹而深。舟行利便。車中偶望。不見有水。但見菜花麥浪之間。一帆飛渡而已。誠奇景也。

浩蕩長江去向東。天光雲影變無窮。我來直上金山頂。如此乾坤一覽中。

登金山頂。上有亭。額曰江天一覽。

當年舟上望煙鬟。今日藤蘿手自攀。如此快心今古少。百錢便可買金山。

買金山圖。

爲訪孤亭吊昔賢。老僧呼我把茶煎。應教詩思清於水。胸有中泠第一泉。

訪中泠亭。試天下第一泉。

游蹤此去任沈浮。百里長江一葉舟。不見盧花與漁火。夕陽春水渡瓜州。

唐人詩云。兩三星火是瓜州。是晚景也。是秋景也。今日所見。便不同矣。

天然布置算維揚。落落疎疎自擅場。幾處亭臺數株柳。江南無此好風光。

至揚州由天寧寺泛舟遊平山堂。

過江巒嶂與堂平。兩字平山稱此名。眼底已驚人事改。山光還作六朝青。

平山堂。

到此纔教眼界開。吸江亭子大觀臺。胸中吐納餘江氣。曾自焦山頂上來。

登焦山吸江亭大觀臺。

枯木嵯峨百尺長。我來獨愛憩斯堂。清奇如見焦公貌。詩意禪心在夕陽。

焦山枯木堂。

老僧嘵舌信雄哉。一語還嫌未盡賅。除却爲名兼爲利。扁舟我獨過江來。

清高宗問寺僧曰。江中往來有幾船。寺僧曰只有兩船。一爲名。一爲利而已。然吾輩今日之船。獨在名利以外也。

薄暮揚輪別潤州。春郊晚景一窗收。過江山色留人碧。帶雨煙光滿袖浮。

歸車晚景。

數日萍蹤一往還。胸中塵念已除删。何當重結煙霞侶。屐笠來遊北固山。

示同游諸子。

小別歸來意趣殊。家常瑣屑已模糊。米鹽俗慮休相問。共看金焦尺幅圖。

歸來示內子。

普陀旅行雜詩

十年四月二日。浙江第二師範、及上海藝術師範同學。結伴游普陀。時余承乏藝師。故亦偕往同游者二師校長管錢白先生及教員同學共七十餘人。藝師同學十人。而藝師同學在山寫生。勾留尤久。直至十二日始行回滬。張生雪蕉、談生經等數人。均有詩紀事。亦囑余爲之。拉雜書此相示。題曰普陀旅行雜詩。

由上海之普陀。舟中作此自遣。

極目蒼茫無盡頭。天風海水一身浮。行蹤與汝同無定。獨坐船唇對白鷗。

細數東風第幾番。雨餘又見小桃殘。對花已有無窮感。況在曇花寺裏看。

至普陀。宿曇華庵。窗外有桃花一株。時適微雨。花已漸漸零落矣。

海霧沈沈黯夕陽。人間王業幾興亡。當年太子留遺塔。石佛無言對莽蒼。

太子塔。又名多寶塔。凡五級。以石砌成。作方形。四面多刻佛像。相傳建於元季。諸王子常施資於此。故稱太子塔。其上層久已圮。今爲民國某年重修者。

一潭澄碧鏡難如。靜極能教萬象虛。莫引杖藤試泉水。此中爲恐有龍雛。

青龍池。

古樹偏從石罅生。老枝蟠屈葉初青。託根無所君休怪。生傍龍池自有靈。

青龍池石巖上有老樹踰丈而根不著土。

井水猶淸竈火寒。只留遺跡與人看。早知別有無生法。梅福當年不煉丹。

梅福丹井。

籐杖芒鞋到海濱。遊蹤來此亦前因。撥沙細細尋殘甲。認取風濤萬劫身。

海濱拾蛤殼。殼有紅者白者。色澤可愛。惜多破損。其全者十無一二也。

海濱靜坐待潮鳴。到此能教萬念平。潮去潮來心上事。何曾眞有海潮聲。

海濱聽潮。

直上高峯欲觸雲。攀籐捫葛最艱辛。上山莫說難如此。鼓勇終登最上層。

由朝陽洞下之海灘登佛頂山燈塔。攀籐捫葛而上。禮佛難如此。成佛可不難。張君雪蕉句也。

鐵樓石壁最堅強。猛烈天風始可當。我獨犯風登塔頂。要從海上望扶桑。

燈塔。望海塔爲普陀最高處。海風極大。塔以鐵爲之。守僧所居四周亦護以石牆。所以禦風也。登高一覽。全島在目。海水蒼茫。遠與天接。市上所售普陀山圖。註云。東與日本琉球爲界。

疑是遊蹤天上回。莊嚴佛國又曾來。倘非親入三摩地。不信蓮花石上開。

由燈塔至慧濟寺。路長一二里。以巨石鋪成。平如展席。每隔三四步。石上多刻蓮花。其工甚精。中途石壁上。刻入三摩地四字。大三尺。爲程周夢坡題也。

古榦參天信大觀。娟人深豔冒春寒。百年老樹何人種。今日開花讓我看。

慧濟寺外。茶花成樹。高踰尋丈。時正著花。作深紅色。同游者多登樹折之。

石級千尋下翠微。扶人一杖快如飛。路旁多少籐輿客。空手都從佛國歸。

由慧濟寺循石磴下山。約有千餘級。游客多乘籐輿。由二人肩之上下。吾輩則一枝籐杖而已。

到耳流聲清更圓。疑從道士得遺傳。恨難久作山中客。一盞親嘗竹管泉。

由慧濟寺至法雨寺。途中見以巨竹銜接。相連數里。引泉入其中。流聲汩汩。清圓可聽。余曰。此山中簡便之自來水也。及至法雨寺。果見竹管通入寺壁。引注缸中。用以備飲。嚮聞此法在趙宋時廣州鄧道士郎已行之。今余所見。豈其遺制歟。

介蟲千歲性通靈。昂首來聽佛說經。此法底緣人不解。海濱只有石龜聽。

海濱二石。一起一伏。形如龜然。曰二龜聽法石。

上山特爲扣禪扉。半日聽談佛理微。難得有緣一相見。吾心至此欲皈依。

謁印光法師。

急雨方知紙蓋佳。半肱微曲一頭埋。此行不用問車馬。自覺歸途到水涯。

歸途遇雨。

一自山巔至水涯。遊蹤說與別人知。自慚學識荒蕪甚。只可遊山作導師。

時余方任江蘇第二師範教務。其二年級同學。亦將有普陀旅行之舉。因紛紛向余問山中風景。余自慚學識荒蕪。濫竽講席。惟作游山導師。則勝任愉快耳。

吳門旅行雜詩

雜詩者。十年五月游吳門紀事吋也。先是與友人約游西湖。約游棲霞。或以事。或以雨。皆不果。五月一日。舍姪惠生來。爲道虎邱及留園之勝。遂與同游。晨七時往。晚八時還。成詩十首以紀其事。

數家臨水不成村。細雨輕煙淡有痕。絕似曼殊當日畫。羸驢破衲入吳門。

自車站騎驢游虎邱。昔日嘗見曼殊上人所畫吳門道中開笛圖。羸驢破衲。瀟灑出塵。今日情形。彷彿似之。

去往無心盡日遊。但逢佳處便勾留。瘦驢應是馱人慣。自識尋途到虎邱。

虎邱道中口占。蓋紀實也。

館娃眼見廢爲塵。不及成仁此五人。千古山塘留一墓。生王死士是誰尊。

五人墓。在山塘道中。

當年霸業付滄桑。白虎空能嚇始皇。風片雨絲寒食節。何人麥飯弔吳王。

虎邱吳王闔閭葬於此。相傳秦始皇欲發塚。有白虎踞其上。乃止。故名。

絕頂聽名轉是癡。莫言頑石本無知。我來未聽生公法。輸汝遊蹤到此遲。

生公講臺下之頑石。相傳生公說法。頑石點頭。即此石也。今石上鐫點頭二字。

何處遺蹤問美人。五湖煙水渺無垠。可憐芳草斜陽裏。只有眞娘數尺墳。

眞娘墓。詩中美人指西施也。

水上漁燈江上楓。客愁到此已無窮。我今欲與山僧約。莫打寒山夜半鐘。

寒山寺。

聞說林泉此處幽。我來亦復一遨遊。遊蹤日暮留難住。不信園名號作留。

游留園。昔王漁洋秦淮雜詩有云。年來愁與春潮滿。不信湖名尚莫愁。余於留園亦復云云。

好遊結習未能忘。選勝尋幽到此鄉。日暮歸來驢背客。迷離煙水夢滄浪。

少時讀蘇子美歸震川兩公滄浪亭記。心竊慕之。今至蘇州。未能一游。深以爲恨。

細寫新詩紀勝遊。懷人輒使我心愁。何時重結看山約。同泛山塘七里舟。

寄潘老蘭、王蓴農兩先生。及家兄樸安。老蘭、蓴農去年同游虎邱。余以事不克偕。家兄前一月亦攜家泛舟山塘。

四時雜詩

早春雜詩

不識春來已幾時。較量春早與春遲。徧翻曆日無憑據。只問梅花知不知。

百花明日是生辰。花種聊從鄰叟分。莫學往時貧更懶。閉門孤負一年春。

兩株稚柳向人青。煙縷依依若有情。禁得輕寒纔減了。又愁風雨過清明。

春遊雜詩

遊春約伴出郊行。萬物欣欣各向榮。愧殺先生無見識。眼前草木不知名。

鷓鴣聲裏雨如絲。又到清明寒食時。草底荒墳高一尺。是誰埋骨沒人知。

鄉村風物最清嘉。油菜平疇盡著花。滿地黃金人不管。始知僻壤亦繁華。

荒塘十畝水平鋪。一葉舟兒小似凫。人卻比凫還要小。舟中安頓婦和孥。

橫籐斜出拂人衣。新葉初生花尚稀。他是自由君莫管。如何折取一枝歸。

天然生活愛鄉村。老鴨生兒竹有孫。矮屋短籬過一世。那知城市有朱門。

一樹垂楊臨水邊。盡情搖曳晚風前。遊絲便是秋千索。借與黃鶯打一天。

隨處溪山足徜徉。塵襟到此已全忘。難消一種胸頭感。風景依稀似故鄉。

七字憑君絕妙詞。風光難寫晚晴時。詩人技術吾窮矣。悔不當初學畫師。

溶溶春水浸紅霞。造物居然是畫家。我不知他揮寫處。費幾錢許買硃砂。

紅了天桃青了柳。遊人祇愛此繁華。誰知老圃荒畦外。蠶豆初開一朵花。

宿霧初收旭日明。惠風吹得夾衣輕。綠章今日如重奏。不乞春陰只乞晴。

三月輕寒試夾衣。風餘浴罷詠而歸。孔門弟子三千個。點也方知此理微。

晚春雜詩

風過筍頭離籜出。雨多苔脚上牆生。莫言草木無情思。暗裏還知氣候更。
燕子新巢費造營。雙棲略似小家庭。等閒時序匆匆過。眼見嬌雛已長成。
一春幾日笑顏開。怨別傷離此一回。便欲移家居熱帶。不知春去與春來。
臨風君莫惜芳菲。無盛無衰此理微。一夢繁華成寂寞。老松冷眼看花飛。

初夏雜詩

四時景物不相同。點綴虧他造化工。一樹石榴紅似火。開花全不藉東風。
嘉名豆子號爲蠶。種少收豐亦美談。當日漫拋三五粒。今朝採得實盈籃。
麥秋天氣麥初收。物理微茫不可求。一樣炎涼分四序。如何稻麥各春秋。
過卻春光花事闌。入時山果試登盤。枇杷初熟櫻桃小。顆顆金球瑪瑙丸。

秋日雜詩

半日秋陰半日晴。幽人情緒倍淒清。階前先剪芭蕉去。爲怕今宵有雨聲。

嘉卉芳名號少年。秋來紅葉自娟娟。也應不是尋常豔。冷粉寒脂絕可憐。

寂寞荒園策杖行。蕭疏病柳映秋晴。他人不識蟲心事。愛聽籬根唧唧聲。

芙蕖消瘦卸紅妝。疏雨輕煙作晚涼。一片斜陽無意緒。半明半滅掛殘楊。

晚秋雜詩

晚秋鎮日雨瀟瀟。一種風光不自聊。猶是江南天氣暖。西風殘柳未全凋。

寥寂風光到目前。蒹葭白露盡淒然。便教一樹丹楓葉。畫出秋容越可憐。

牽牛花放短籬根。終日鄰家打稻喧。忽忽歲時容易晚。秋花結子稻生孫。

代謝春秋改歲華。曠觀常覺樂無涯。風華收拾歸平淡。老圃荒畦看菊花。

冬日雜詩

峭風初雪釀新寒。寂寞園林睡正安。絕愛靜中有閒意。枯枝凍雀耐人看。
記得陽春二三月。楊花如雪撲人衣。而今又見漫天雪。化作楊花到處飛。
頹垣老樹破籬笆。生活蕭條田父家。寶馬香車門外過。有人來此看梅花。
朔風緊急雪飛揚。冬至纔過日漸長。莫怪天時有寒暑。須知大地亦滄桑。

新年雜詩

學陸放翁楊誠齋

陰陽曆本兩年連。到底陰遲陽在前。我把新年先過了。看人忙碌過新年。

含毫底事詠難成。別有閒愁突兀生。暗裏催人頭欲白。歲朝爆竹上元燈。

自笑書生技藝低。春聯未解手親題。又因鼠是偷雞客。門上今年不畫雞。

荆楚時記云。正月一日爲雞日。畫雞於門。今年甲子。屬鼠。吾鄉有黃毛鼠。生山谷間。夜輒至人家偷雞而食之。夫鼠能食雞。則今年門上。大可不必畫雞矣。

記得兒時壓歲錢。青銅一百紫繩穿。而今十倍當年數。僕婢還須笑我酸。

我雖不過舊曆年。然從俗須給僕人之錢。以一二元爲度。是數十倍於當年之壓歲錢。倘僅十倍。則彼即不滿意矣。三十年光陰。生活程度之提高。至於如此。

鄉風民俗幾遷移。惟我昏然總不知。比較放翁窮更甚。一年四季沒鍾馗。

陸放翁於新年詩多言鍾馗。如改歲鍾馗在。如耐久鍾馗斸在門。是也。其一首自註云。予餐其今歲遂不能易鍾馗。夫鍾馗今人以爲端午日之點綴品。而不知在放翁時爲新年之點綴。此事爲新年典故中之最時髦者矣。若我則不但新年不易鍾馗。而門上永無鍾馗也。貧不能置鍾馗。亦是實情。今日劣紙俗畫之鍾馗。吾既不欲置。而玻璃版精印名人畫鍾馗。價亦不輕。甚矣。鍾馗之不易置也。

兒童活潑有天眞。俗客欣欣衣帽新。在此萬家歡樂裏。誰憐幽怨紫姑神。

新年有迎紫姑神之戲。按荊楚歲時記。紫姑係人家妾。被大婦妬。幽怨而死者也。後世小兒女爭迎紫姑。然誰知紫姑之幽怨哉。

閉門習靜沒思量。但得能閒萬事忘。笑殺梅花難免俗。也於新歲作新妝。

貧居生活似山僧。一任沙鍋冷欲冰。坐看牆頭諸瓦雀。太陽光裏宴賓朋。

屋後安廚沒竈君。城西賃廡沒門神。只因門竈非吾物。應讓房東做主人。

信筆吟詩未必工。韻書也不問東冬。宋詞元曲唐詩外。淺語常談學放翁。

天衣集

集史記語成詩五首

古人有集詩爲詩者。有集詞爲詩者。集文成詩。則未有也。今夏酷熱。適讀史記。因集其句成詩五篇。每句皆錄原文。未嘗刪改。太史公九原有知。當相與一笑耳。

老子修道德。老子傳 迺遂去至關。老子傳 若伯夷叔齊。伯夷傳 餓死首陽山。游俠列傳 曹沫執匕首。刺客傳 人不敢忤視。刺客傳 當世亦笑之。游俠傳 何故而至此。屈原傳

臣從東方來。滑稽傳 西南渡淮水。始皇本紀 過梁楚以歸。太史公自序 可二三千里。大宛傳 談說於當世。魯仲連傳贊 亦可以解紛。滑稽列傳 願棄人間事。留侯世家 入海求仙人。始皇本紀

家貧好讀書。陳丞相世家 不詘於諸侯。魯仲連傳贊 有田三十畝。陳丞相世家 富貴如可求。伯夷傳 安邑

千樹棗。渭川千畝竹。火耕而水耨。不待賈而足。以上四句皆集貨殖傳
天則有日月。地則有陰陽。皆天官書原文兩句相連 則五嶽四瀆皆并在東方。皆封禪書 上常有雲氣。高帝本紀 色蒼蒼有光。天官書
仙人好樓居。若人冠冕焉。來也常以夜。來則風肅然。光輝若流星。就之則不見。此首皆集封禪書

集莊子語爲詩三首

吾生也有涯。而知也無涯。養生主原文相連 蹈水有道乎。達生 操舟可學耶。達生 道隱於小成。言隱於榮華。齊物論原文相連 行歌而去之。知北遊 惡往而不暇。達生

然後入山林。達生 登隱弅之丘。知北遊 巖居而水飲。達生 黃帝之所休。至樂 懸水三千仞。流沫四十里。達生原文相連 不與民共利。達生 已外天下矣。大宗師

赫赫發乎地。田子方 肅肅出乎天。田子方 藐姑射之山。有神人居焉。逍遙遊原文相連 肌膚若冰雪。

綽約若處子。逍遙遊原文相違 不以死死生。知北遊 不以生生死。知北遊

集柳子厚文

終爲永州民。有田五百畝。穿池可以漁。種黍可以酒。送從弟謀歸江陵序 置酒溪石上。飲序 折竹掃陳葉。石澗記 泊焉而無求。送僧浩初序 與萬化冥合。始得西山宴遊記

節史記語成詩一首

偏書字皆原文所有而節去者。但有刪節。而無增改。

臣嘗游海上。言 夜見大人長數丈。願請延年益壽藥。神曰 汝 秦王之禮薄。其後十二歲而還。冀遇海中三神山。之奇藥 水神不可 見見巨魚。聖人當起東南間。陳涉甕牖繩樞之子。嗟乎大 丈夫當如此。也 斬木爲兵揭竿爲 旗。山東豪俊遂並起。而亡秦矣 沛公遂 入咸陽。奉天子符璽降 軹道旁。燒其宮室廚其 女子。於是 王氣怨結而不揚。人生一世間。如白駒過

隙。塹山堙谷之直通作宮阿房。今臣亦見宮中生荊棘。露沾衣耳

封禪書　又　淮南列傳　又　封禪書　又　始皇本紀原文兩句不連　淮南列傳　始皇本紀引過秦論　高帝本紀　始皇本紀引過秦論　又　始皇本紀　又　又　淮南列傳　留侯世家　又　始皇本紀原文兩句不連　淮南列傳

節莊子語成詩一首

偏書字。皆原文所有而節去者。但有删節。而無增改。

無所可用。請致天下。行歌而去之。廣漠之野。吸風飲露。泠然善也。昭文之鼓琴也。倚樹而吟。无聽之以耳。而聽之以心。得兔而忘蹄。得魚而忘筌。仰天而噓。得意而忘言。

逍遙遊　又　知北遊　逍遙遊　又　又　齊物論　德充符　人間世　又　外物　又　徐無鬼　外物

文史一首集論語句題天衣集

曹昌麟民父

文勝質則史。有美玉於斯。乘桴浮於海。來者猶可追。君子坦蕩蕩。吾無隱乎爾。起予者商也。前言戲之耳。

貧士一首集論語

曹昌麟民父

貧而無怨難。一言以爲智。人不堪其憂。我則異於是。富而可求也。於我如浮雲。未若貧而樂。植其杖而耘。

神蛇集

東越神蛇詩

東越神蛇詩。敘東越女子李寄殺蛇事也。晉干寶有東越祭神記。略謂東越閩中。有庸嶺。其西北隙中。有大蛇。長七八丈。大十餘圍。土俗常懼。祭以牛羊。蛇或與人夢。或下諭巫祝。欲得啗童男女年十二三者。官吏募人家女養之。至八月朝。送至穴口。蛇出吞嚙之。累年如此。已用九女。一年索女未得。將樂縣李誕家。有女六。無男。其小女名寄。應募欲往。父母不聽。寄曰。父母無相。惟有六女。無有一男。雖有如無。不如早死。賣寄之身。可得少錢。以供父母。父母憐之。終不聽。寄乃潛行。請好劍及咋蛇犬。至八月朝。便至廟中。先以米餈蜜麨置穴口。蛇聞餈香氣而出。即放犬嚙蛇。寄從後斫之。蛇踊出而死。寄入穴視之。得其九女髑髏。寄乃緩步而歸。越王聞之。聘寄為后。賞賜其父母。其歌謠至今存焉。

按此事在情理之中。非神話可比。李寄殺蛇。有足稱者。干寶又謂其歌謠至今存焉。則當時人作詩記其事。諒亦如焦仲卿妻木蘭之類。其詩干寶時猶存。不知於何時失傳。故仲卿妻木蘭流傳衆口。而李寄遂無人知矣。余有慨乎此也。爲補是詩。詩體依古詩舊例。而於韻之可通者通用焉。

淒淒復淒淒。李女當窗啼。雲鬢慵不整。玉頰雙淚垂。阿父偶聞之。中心悵然悲。問女何所憶。問女何所思。女言無所苦。但悲將分離。一言啓阿父。阿父試聽之。長官募幼女。充彼神蛇饑。女將奮身往。一去恐不歸。父母無福相。六女無男兒。苦乏甘旨奉。徒耗衣食資。不如應募去。得錢奉庭闈。阿父聞女言。悵然捋鬚髭。我家雖窮困。此事安可爲。阿母聞女言。驚恐失常儀。兒今不可往。阿母緊抱持。兒今如欲往。阿母扶杖隨。阿姊聞妹言。出閨前致詞。妹本聰明人。此事何太癡。妹今愼勿往。善保汝容姿。李女謝父母。志決不可移。但願入蛇穴。不願居深閨。豈不念父母。相守計亦非。曷若與蛇鬬。生死未可知。今日忍痛別。或有歸來時。於是乘隙往。既去不可追。父母搥胸哭。云無再見期。李女既應募。心靜容態怡。但求三尺劍。復求數斗餈。再求一猛犬。相將赴叢祠。神蛇聞餈香。蜿蜒出穴窺。血舌長數尺。金甲粗十圍。兩目有奇光。灼灼如燈輝。其光射人面。冷如冰侵肌。猛犬忽怒囓。蛇痛不可支。李女揮長劍。須臾血肉糜。神蛇既已死。觀者盡嗟咨。李女乃入穴。一探穴中奇。尋彼先死者。骨肉化爲泥。但剩九髑髏。其狀何慘悽。神蛇既已死。一境皆安夷。越王聞女勇。遂乃聘爲妻。父母亦富貴。骨肉得相依。我今感女勇。濡筆爲此辭。庶幾神蛇歌。追蹤木蘭詩。

希臘有奇士

希臘有奇士。取英國莎士比亞樂府本事中之一節。而演爲詩也。全詩五百六十言。造句用韻。皆守舊詩成法。惟措辭則力求淺顯。以人人能解爲標準耳。

希臘有奇士。重義輕金錢。食客滿庭戶。其數過三千。食客何所爲。爭乞主人憐。朝進滑稽語。暮作諂諛言。辭令既溫雅。體態何翩翩。主人之所好。無不羅致前。衣則厭羅綺。食則窮肥鮮。清歌與妙舞。美女鬬嬋娟。千金何足惜。且圖一夕歡。主人復慷慨。一諾重如山。救人之危急。萬金脫手捐。一朝復一葬。日月走雙丸。黃金用未盡。那知世路艱。其時有老僕。見此獨惕然。抗顏進忠告。涕泗長流漣。一言告主人。苦樂若循環。黃金一旦盡。賓客去不還。人情本涼薄。誰如主人賢。主人揮僕去。汝僕毋囂喧。倘我金盡時。且賣郭外田。倘我田盡時。再賣郊外園。莫作守財虜。一錢如命焉。丈夫重俠義。雖窮志愈堅。人生貴稱意。雖苦心亦安。一日復一日。一年復一年。金山有時盡。門戶暗凋殘。主人何落拓。憂患苦相煎。出門訪舊客。舊客白眼看。回顧若不識。非復舊時顏。主人默無語。撫胸一長歎。回首當年事。頓使我心酸。以我田園稅。供汝之杯盤。以我府庫藏。供汝之綺紈。汝今已飽暖。我獨耐饑寒。誰為進一衣。誰為進一餐。我則有俠骨。汝則無心肝。塵世惡如此。何能久流連。去去莫回顧。逃之荒山巔。朝食山上薇。暮飲澗底泉。午倚長松坐。夜抱孤石眠。短衣赤雙足。亂髮披兩肩。閒遊伴麋鹿。長嘯友猴猿。漁樵不相識。道是山中仙。山中方逍遙。世事已變遷。強鄰相侵伐。疆場有烽烟。人民苦屠戮。宗社將覆顛。朝士無良策。束手徒望天。乃議徵奇士。付之以兵權。舉國皆歡迎。匍伏至山間。奇士笑不顧。

揮手上釣船。聘金數百萬。委棄滄海邊。人心壞如此。世運難回旋。須流國民血。洗汝恥辱斑。我爲祖國哭涕淚如汍瀾。哭能復何爲。整理舊漁竿。扁舟投海去。烟水長漫漫。

冰兒

長江來自蜀中。其上游曰岷江。相傳江上有神。每歲居民必以美女獻焉。亦河伯娶婦之類也。冰兒多力善鬬。痛惡江神爲患。一歲佩劍送女至江干。會衆人方欲投女於江。冰兒忽拔劍。數江神之罪。其時風濤驟作。不見冰兒。衆人但見兩牛鬬於江畔。良久。遙聞冰兒呼曰。我繫白帶。君等見牛白腰者我也。困倦極矣。乞相助。衆人見之。乃助白腰牛鬬。遂殺其他牛。白腰牛化冰兒如故。江神遂絕。蜀人嘉之。後遇勇者。皆呼爲冰兒云。按此事見於水經注。明知荒唐不經。然作神怪小說觀。未嘗不可也。

江濤澎湃來。江天鬱不開。江神欲娶婦。神巫爲之媒。雲車凌長風。鼉鼓吼輕雷。玉鏡明月掛。錦衾浪花堆。可憐誰家女。一去永不回。蜀中有男子。問名曰冰兒。有膽大如虎。有力猛如獅。見江神娶婦。中心悵然悲。既怒娶者暴。復憐嫁者癡。胡爲好女子。甘與神爲妻。豈爲江神愛。徒充江神饑。骨肉葬神腹。糜爛誰得知。冰兒佩長劍。送女江之湄。一一數神罪。正義而嚴辭。聞者毛髮竦。竊爲冰兒危。冰兒言未已。天地忽陰霾。排浪吼霆謚。崩山走蛟螭。波濤連天翻。咫尺皆迷離。何處覓冰兒。諒已飽鯨鯢。乃忽見兩牛。劇鬬江水涯。一牛腰間白。一牛全身黧。足抵而角觸。久不分雄雌。遙聞呼救聲。其聲何悲悽。冰兒繫白帶。用以別彼犛。胡不奮衆勇。慷慨救我疲。衆人聞此言。抽刀爭相隨。我衆而彼寡。江神力不支。遂死衆刃下。風濤立平夷。晚霞明江濱。新月掛樹枝。回首見冰兒。容貌如平時。蜀人敬冰兒。永世紀念之。凡遇勇者名。用此兩字題。

煩惱箱

煩惱箱者。本希臘神話而演爲詩也。希臘上古時。天氣和煖。草木茂盛。人亦熙熙然不知煩惱。其時衆神之王曰脩斯。懸人心之不良也。思有以懲之。遣使者曼克申與一美女子人世。往見少年愛僻沫脩。女子曰斑渡拉。貌甚美。愛僻沫修見而悅之。娶以爲妻。一日曼克申負一巨箱。寄存於愛僻沫脩家。斑渡拉怪其重。欲啓而視之。愛僻沫脩止之而罷。及愛僻沫脩出。斑渡拉聞箱中呼救聲。不能忍。竊啓視之。箱中有小蟲飛出。數甚多。頃刻四散。斑渡拉亦無如之何。此小蟲或爲罪冤。或爲病冤。或爲戰冤。或爲妬忌怨恨之冤。蟲附人身。使人煩惱。愛僻沫脩歸。蟲亦附其身。乃與斑渡拉尋仇。二人皆陷於煩惱之中。其時箱中復有呼救聲。斑渡拉鑒於前事。不敢輕啓。繼而思之。已放多冤出。何閉此一冤。爲勉力啓之。其神遂出。此神曰希望。可以解世人之煩惱。蓋脩斯誤收入箱中者也。世既有希望。人多藉以解除煩惱云。余以其寓意深遠。其事復怪誕可喜。乃演爲詩。以便諷誦。

在昔上古時。宇宙何清新。天亦無寒暑。四時皆爲春。地亦無磽瘠。草木何豐蕃。人亦無煩惱。終日長歡欣。清泉當瓊漿。鮮果供珍餐。茂樹張翠蓋。芳草鋪綠茵。遊戲宇宙間。幸福難具陳。天神曰脩斯。見此忽然瞋。宇宙何美麗。人心却不仁。倘不有懲罰。難見神道尊。遂造一美女。下降到紅塵。名曰斑皮拉。豔麗無比倫。流星化明眸。晚霞作朱唇。肌膚是白雪。鬢髮是翠雲。長虹繫爲帶。薄霧拖爲裙。此女世何有。眞是天上人。少年愛僻沫。

嬌嬌亦不羣。一見斑度拉。乃與結婚姻。雙棲度歲月。那知憂與煩。乃有神使者。名曰曼克申。負荷巨篋來。借此聊寄存。其篋巨且重。纏以長鍊銀。篋中何所有。此亦誰能云。可憐斑度拉。芳心急如焚。屢欲啓篋視。夫壻苦爭論。適遇夫壻出。獨坐深閉門。篋中有細語。聲聲盡可聞。傾耳一細聽。乃是呼救援。斑氏低首思。此是何人言。閉置於此中。得毋有奇冤。遂乃啓其篋。突覺天地昏。有蟲數百萬。其小如蝨蟲。盡自篋中出。四散何紛紜。異哉此何物。盡是煩惱根。或則爲病魔。或則爲戰神。或則主恚怒。一一附人身。從此煩與惱。散布徧四垠。無地不寂寞。無人不吟呻。斑氏朱顏上。亦已有皺紋。不見雙渦笑。但見兩眉顰。其時巨篋中。復有人語喧。自謂性善良。其言何諄諄。啓篋放之出。其神和且溫。自言名希望。能療創傷痕。自從希望出。人乃蒙其恩。導人離煩惱。同赴安樂園。

希臘有織女

希臘有織女者。取希臘神話而演爲詩也。蓋亦如孔雀東南飛之類。余爲此種紀事長詩。茲爲第五首矣。

希臘有織女。聰明世所無。少小工紡織。長伴父母居。父爲白髮叟。江湖作釣徒。一竿一釣船。生涯傍菰蒲。女織一丈素。父得數尾魚、入市易柴米。一家食有餘。女手抑何巧。見者爭相譽。寸金買一尺。歸去剪爲裾。父得朱鱗魚。鮮豔目可娛。乃仿魚鱗色。染素成爲朱。見者更羨愛。購買相奔趨。自此織女名。益復滿里閭。女名日益高。驕心與之俱。慣持己手巧。愛聽他人諛。他人信口談。聊博女歡愉。乃謂女之巧。織神亦不如。因此干神怒。化身爲老姑。徐徐來女旁。衣破貌復臞。自云能紡織。欲與較贏輸。織女笑而許。直呼爲女奴。吾藝入神妙。孰能復相逾。誰知比賽下。立即別精粗。自有神之巧。始見女之愚。織女驚失色。非復似當初。老姑忽震怒。乃現織神軀。臞貌變豐容。破衣化綺襦。誰識一老媼。頃刻成名姝。織神叱織女。織女相驚呼。衆人舉目看。已化爲蜘蛛。慨彼驕傲者。理應受此誅。長此吐蛛絲。結網掛朽株。

飛行曲 紀張俠魂女士事

湘鄉女兒張俠魂。胸襟磊落世無倫。英雄於今出紅粉。意氣直欲凌青雲。少小夙聞飛機巧。冲天一去如飛鳥。振翼直挾風輪行。低頭俯視地球小。氣爽高秋九月天。長空萬里無雲烟。中國技師姚錫九。南苑試演飛行船。此時女士逢盛會。豪情觸起心雄邁。黃人肯讓白人先。女兒要與男兒賽。一朝乘興便上場。匆匆結束飛行裝。恰著羅衫五銖重。莫繫湘裙六幅長。揚翮騰隼撲地起。鴻鵠圖南心萬里。仰觀星斗近可捫。俯窺雲海深無底。（雲海謂雲如海也）地上萬首視晴空。天半翱翔一點鴻。試看已入清虛境。將毋便奔廣寒宮。打頭忽爾狂飈起。還遇瀟瀟千點雨。大鵬赴海空有心。斷雁衝風先鎩羽。忽見空中一葉飄。翩然仙女下雲霄。一擲墮地悄無語。氣息如絲粉黛嬌。西方扁鵲有奇術。能割肌膚續折骨。醫院殷勤好護持。創傷指日能平復。冒險飛行身縱傷。也令女子生輝光。褒詒親蒙總統贈。珍重銀瓶鐫一雙。（航空學校校長鐫紀念銀瓶一雙贈之）

燕遊詩草選譯

燕游詩草者。之江大學教授 C. P. Parkman 所作也。全書爲英文詩約六十首。所言皆中國事。頗能發揚中國國民性之特色。其書於民國十二年秋間由商務印書館刊行。英文名曰 Peking and Other Poems 中文名曰燕游詩草。余取而讀之。喜其可供吾國詩人之參考也。乃與蘇二師同學朱君枕梅合譯之。譯文皆如古詩成例。韻之通用者則用之。措辭造句。頗費推敲。而亦力求不失原意。今始成十之二三。餘功尙多。未知何日可竣。因先刊其已成者於此。待他日全書譯成。重爲整理。再刊成册子可也。按中國文之譯西文書者。科學最先。哲學次之。文學最後。而文學中以小說爲先。詩歌爲後。由其翻譯之先後。可知其工作之難易。中國人首先譯西文詩者。當推王韜第爲一。其所譯普法戰紀。中有詩歌數首。論者謂其全書之佳處。只此數首詩而已。其詩曾有人采入唱歌教科書。惜今已不易見。次則梁啓超。曾譯擺倫哀希臘詩之前兩章。載於新小說中。然二人皆不識西文。恐與原文不能吻合。再次則爲辜鴻銘。曾譯擬漢騎馬歌。辜氏中西文造詣均深。其譯作自當獨步。再次爲馬君武。蘇曼殊。所譯亦佳。然微聞曼殊之譯作。曾得太炎爲之修飾。故多奇字。宜乎胡適之稱其晦也。蘇馬二君及適之。均譯擺倫哀希臘詩全篇。去年余亦細讀三家之譯本。並原文。覺其各有短長。難以并論。竊不自量。又重譯之。名曰第四種譯本。區區十六章詩。閱半年而始卒業。今方待刊。蓋一字一句。皆求我心之安而後已也。由此觀之。則燕游詩草全書之成。正不知待至何日。故以已成者先刊之於此。以供國人之觀覽焉。余於英文。程度甚淺。然略能讀原文。譯本與原意相差。當不甚遠。而此集爲西方詩人歌詠中國事。想尤吾人所急欲一讀者也。民國十三年二月一日。

燕京

其一

巍巍燕京城。人文薈萃處。千古帝皇業。一旦棄之去。面目雖已改。神情猶如故。而今有曙光。初從簷際露。新潮何激盪。力推舊者仆。眼前雖不寧。前途良可慕。

其二

巍巍燕京城。民族紛然別。蒙古與滿洲。當年來侵伐。而今雖已矣。餘風猶未歇。故宮與深山。依然舊生活。然而瞻前途。此風當泯滅。

其三

巍巍燕京城。往事良足懷。爭城以流血。回首有餘哀。多少興亡事。而今安在哉。戰爭之神去。和平之神來。美哉大中華。前途無涘涯。

其四

巍巍燕京城。汝是玄祕府。誰當得鎖鑰。來啓汝門戶。便見玄之神。仙袂飄然舉。一如春日花。芬芳隨風吐。

車夫

讀我車夫詩。如見車夫面。奔走身上衣。馳驅口中麵。

讀我車夫詩。如見黧黑貌。赤足著草履。蓬頭裹破帽。

其一

晨光上我窗。車夫來窗前。使我心惻惻。長夜將無眠。天寒可有衣。腹饑安得餐。

其二

當我出門去。車夫尾我行。自言安且速。車價況復輕。登車驅之去。奔波足不停。

其三

摩托有時損。余則聊乘之。當其得我錢。容顏和且怡。徐徐爲我言。天寒腹復饑。

其四

或當風雨夕。夜色何迷離。或作園林游。路遠莫之知。或作郊外行。火車忽後期。舉手招車夫。車夫奔走來。

其五

嗟我胡獨忘車夫亦是人。縱使異膚髮。亦自有心魂。除此苦役外。非復能自存。年年相見慣朝朝屈莫伸。

莫言駝善負。莫言馬可乘。誰知通衢上。有此可憐人。

莫說摩托速。莫說火車便。待到天街中。再與車夫見。

揚子江

其一

滔滔揚子江。汝水何其黃。滚滚直到海。其勢誠汪洋。待汝入海時。奔流已久長。美哉何浩蕩。滔滔揚子江。

其二

滔滔揚子江。波瀾何汪洋。長風送遠船。汝力胡可量。屈指數大川。誰與汝爭長。洪流挾泥沙。水亦與之黃。美哉何浩蕩。滔滔揚子江。

其三

滔滔揚子江。汝源何其長。遠自崑崙來。直欲赴大洋。澎湃三千里。出峽勢激昂。怒濤作雷吼。飛沫亦猖狂。灌破海洋滿。汝乃水之王。美哉何浩蕩。滔滔揚子江。

其四

江神奏冶曲。其聲何悠揚。願汝自努力。守汝之故鄉。睡汝懷抱中。旅客夢未央。勉哉宜努力。滔滔揚子江。

郊宴

其一

輟業作郊遊。心曠神以清。去去遠城市。小僕導我行。良辰不易得。此福誠非輕。亦有先來者。試聽歌呼聲。

其二

酒榼多美食。吾心足歡欣。晨光滿大地。天宇何清新。衣袂臨風舉。疑非世上人。美哉此郊宴。其樂難具陳。

其三

纔下單輪車。便駕一葉舟。泛泛過湖去。萬象接我眸。吾心鬱以開。欣欣生意稠。美哉此郊宴。其樂難與儔。

其四

導者爲我言。古寺已可企。至彼山之巔。僅玆二十里。即使過五十。亦當願涖止。汝是幽囚人。束縛今始解。

其五

青青脚底草。其平如席展。籊籊簷下竹。神態何閒澹。荒荒三尺墳。獨對斜陽黯。此中有玄理。幽深費討檢。倘此進一杯。應有無窮感。

其六

胡懷琛詩歌叢稿

試看路旁墳。一一樹碑碣。墓門今仆地。墓誌亦漫滅。便是帝王陵。也須同一轍。但作郊外遊。此意自領得。

其七

鳥聲透樹出。花氣隨風散。流泉作清歌。琮然在溪澗。化工造萬物。使我心眷戀。悠悠當良辰。美哉此郊宴。

其八

直登高山頂。俯首瞰人世。萬頭蠕然動。略與滄波類。吾心所不解。往來爲何事。彼爲塵俗拘。抑有登臨志。

其九

古寺有老衲。含笑來歡迎。應對何周至。慰我遠客情。溫恭有美德。曲折導我行。還去汲泉水。試把山茶烹。

其十

老衲導我行。漫遊古宮殿。接目皆神奇。古佛盈千萬。中有舊銅佛。云是最上選。尤有雕鏤工。難以指數徧。使我飽眼福。美哉此郊宴。

其十一

落日墮西山。晚鐘鏗爾動。因知日已晚。暮色蒼然重。去去下山歸。城市還投踵。已無宴遊樂。但覺塵事宂。

其十二

吾事一以畢。默爾禱上帝。願汝攜我行。至無思慮地。長享宴遊樂。不管人間事。

懷黑德孫德羅

案黑德孫德羅爲初至中國內地之牧師

心中愛燈。灼其有輝。識彼天路。導人同歸。
熱誠洋溢。上帝之使。爲帝努力。有誰如爾。
獨恥安樂。不畏艱苦。入彼腹地。勇往無阻。

巍巍片碣。閟宮之石。豈同凡夫。斷碑荒陌。

長城

蒼龍飛上山。蜿蜒萬里餘。此是秦長城。築以防匈奴。匈奴今已滅。秦業又何如。歲月誠無情。匆匆棄人徂。可憐千載下。遺跡半模糊。

天壇

巍巍天壇。悠悠往史。上古之遺。尊孰與比。赫赫帝皇。彼亦敬汝。以汝之功。是司風雨。豈同他神。有象有名。瞻之不見。相格以誠。

銅錢

其一

黃銅錢。小以圓。方方孔。青絲穿。

其二

穿成貫。載驢背。莫輕視。此古幣。

其三

易有無。充囊間。其數繁。計之難。

其四

吾知世上人。爭以汝爲寶。熙來而攘往。面肥心已槁。

其五

一日有君在。一日人愛之。生活之高低。視君爲轉移。

其六

黃銅錢。祝君安。願與君相見。使我買賣便。

廬山牯牛嶺

山靈伸長臂。直欲捫青天。又疑是火山。白雲如噴煙。衆山皆拱立。飛瀑獨潺湲。靜者待我至。喧者呼我前。晨光何清新。暮色亦頗妍。燦爛天上星。獨使我流連。雙屐草萋萋。扁舟水淪漣。回首兒時事。悵然憶當年。浮雲天外來。疎雨何蕭然。久爲塵事勞。至此心已安。美哉牯牛嶺。我欲與汝言。山中旣許爲雀棲。也應讓我來酣眠。

秋雪詞

羅敷媚

分明是個傷心地。蔓草芳郊。野水橫橋。深淺春愁比暮潮。　離懷困惘何消說。花也神焦。柳也魂消。一角斜陽更沒聊。

前調 夜雨

芭蕉葉上宵來雨。已算淒清。不彀淒清。添個寒蛩抵死鳴。　紙窗竹簟人無睡。坐到天明。聽到天明。愁與秋潮一樣平。

采桑子

倦鶴有是詞題曰新移居跑馬廳畔間之居人舊爲吳中數某藏嬌之所詞以記之余居與倦鶴相近依調賡和

天生似個風流地。昔作香窩。今又吟窩。占領春愁孰最多。 喃喃廝和眞多事。藏豔由他。覓句由他。要我鄰家管什麼。

賀新郎（秋日賀大雄結婚）

江上新涼早。數韶光雙星七夕。匆匆過了。疏雨淡煙秋氣爽。開徧芙蕖紅小。卜佳期這時剛好。別樣風流誰得似。自由花總比尋常妙。知幾生。修得到。 畫眉舊事休誇道。他早把庸脂俗粉。一齊除掃。瀟灑風神天造就。貝闕珠宮應少。更莫說人間才貌。笑我塡詞爲爾賀。願月圓花好人偕老。持金樽。勸君倒。

羅敷媚

新涼逼得疎燈淡。病體無聊。短鬢先凋。眉上愁痕怎樣消。 更堪觸起年時事。便過今宵。奈又明朝。懨懨心頭子午潮。

臨江仙 豔詞一首別有寄託非有所指也

秋水不嫌明鏡隔。薄羅照見凝脂。碧欄外夕陽時。逗人回首處。此意沒人知。
密語應防鸚鵡覺。私書又費猜疑。強傳消息在雙眉。非關儂嫁早。祇恨見君遲。

太常引 題大雄丹莽合譯茉莉小傳

塡胸哀樂總難分。何處說仇恩。目斷海天雲。寄託在西方美人。
茶花謝了。莫問迦茵。大筆擅傳神。豔魄與英魂。都化作墨痕淚痕。

欄干萬里心

蕭蕭衰柳點殘秋。淡淡斜陽上畫樓。有客憑欄憶遠遊。上眉頭。半是新愁半舊愁。
西風涼煞水紅花。一點燈光透碧紗。輕寒惻惻晚來加。莽天涯。何處衷懷訴與他。

浣溪紗 夜雨

有個愁人睡不牢。芭蕉風雨夜瀟瀟。新涼如水一燈搖。
往事悲歡都過了。管他哀樂到明朝。只難消受是今宵。

新道情

仿鄭板橋道情作

老農夫。最自然。住荒村。種薄田。自耕自種無人管。春來喚婦先栽菜。秋後呼兒早拾棉。一家大小都勤儉。吃飽了。清茶淡飯。大家來。信口談天。

老樵夫。一把刀。砍松杉。斬草茅。賣柴買米全家飽。草鞋走入深林去。那怕山高又嶺高。枯枝亂葉皆材料。最便宜。無須血本。收攏來。一擔長挑。

老漁翁。江上過。理青絲。披綠簑。扁舟有槳無須櫓。桃花春水風光好。鱸膾秋風美味多。便談蝦蟹都還可。消受著。江湖快樂。那知道。世上風波。

墾荒畦。賣菜傭。會栽瓜。也種葱。小園半畝無閒空。春初美味推新韭。秋末時肴算晚菘。縱然高價人爭問。挑一擔。街坊走去。好換他。幾百青銅。

最逍遙。小牧童。投田家。做傭工。牽牛割草都能懂。一簑早起披春雨。短笛閒來弄晚風。

生涯半與牛相共。只喂得。羊兒肥胖。便算我。不負東翁。

老書生。教小兒。已焉哉。者也之。當年老例都如此。讀書原爲求常識。舊法而今不入時。

打頭燒去文千字。我是要。破除積習。做一個。村塾良師。

歪文章。強出頭。撮盲詞。不怕羞。看看笑殺人和狗。宋詞元曲都抛去。三百唐詩一筆鉤。

連篇瞎話多滋味。只付與。漁樵閒唱。用不着。鐵板珠喉。

大天空。一地球。載五洋。分六洲。人如螞蟻千千斗。生存惹起爭和戰。勝敗全憑劣與優。

可憐血雨腥風後。才知道。大家互助。把強權。一筆長鉤。

古今來。幾萬年。道無懷。說葛天。上追盤古荒乎遠。豈知進化翻新論。還要高談盤古前。

昌言人是猿猴變。只不知。萬千年後。再變到。甚地何田。

走街坊。唱道情。給旁人。子細聽。胸中感慨言難盡。聖賢誰識眞和假。好漢難逃利與名。

癡人到底何時醒。最可憐。閒非閒是。青史上。說不分明。

自家文丐頭銜好。舊曲翻新調。不愛嘉禾章。不羨博士帽。我唱這道情兒。歸家去了。

重編大江集

長江黃河

長江長；黃河黃。滔滔汨汨；浩浩蕩蕩。來自崑崙山；流入太平洋。灌漑十餘省，物產何豐穰。浸潤四千載，文化吐光芒。長江長！黃河黃！我祖國！我故鄉！

採桑詞四首

朝也採山茶；暮也採山茶。出門曉露溼，歸來夕陽斜。
出門約女伴，上山採茶去；山後又山前，迷却來時路。
昨日新芽短；今日新芽長。不惜十指勞，只怕不滿筐。

自從穀雨前，採到立夏後；茶苦與茶甜，何人去消受？

飼蠶詞四首

日出採桑去；日暮採桑歸。漸見桑葉老，不覺蠶兒肥。

今日蠶一眠；明日蠶二眠。蠶眠人不眠，辛苦有誰憐？

春蠶口中絲，阿儂身上衣。要我衣裳好，莫使春蠶饑。

蠶老變爲蛹，蛹老變爲蛾，飼蠶復飼蠶，一春便已過！

自由鐘 八年四月作

豎起獨立旗；撞動自由鐘。美哉好國民，不愧生亞東。心如明月白；血濺桃花紅。區區三韓地，莫道無英雄。悠悠千載前，本是箕子封。人民美而秀；土地膏而豐。那肯讓異族，長作主人翁？一聲春來動，徧地起蟄蟲。祖國人人愛；公理天下同。我願和平會，愼勿裝耳聲！

老樹

庭前有老樹，春來抽條新；枯榮有變化，同此本與根。人生亦如此，嬗遞秋與春。我死而有子，子死而有孫；根本苟未斲，血脈長是親。老幼體屢變，生死理未真。眼前兒童輩，都是千歲人。

明月

明月無老少，萬古常如茲。皎皎當中天；夜夜揚清輝。忽被大地妬，纔盈便使虧。雖曰有圓時，長圓不可期。借問此缺恨，茫茫何時彌？

送春詩

當日喜春來；今日送春去。來也從何方？去也向何處？問春春不言；留春春不住。芳草遠連天，便是春歸路。

流水

門前水，直通江。我心隨水去，迢迢到他方。他方有故人，道路遠且長。不能長相見，但願無相忘。

落花

落花飛，飛滿天。花開有人愛；花落無人憐。花開又花落，一年復一年。此是第幾番？問花花無言！

世界

人數無量多；地球一粟大。哀樂各不同，一人一世界。

津浦火車中作

莫道火輪速，歸夢尤過之。不作同方行，而作背道馳。夢魂幾往還，車行猶遲遲。日出泰山曙；天寒燕草衰。車行何時已？客愁無盡期！

哀青島 民國八年五月作

浩浩渤海水；悠悠膠州灣。林木何葱鬱；山巒亦巍綿。乃有木屐客，見之長流涎；便將一角地，奪入囊橐間。安得魯仲連，一旦爭之還？鬱鬱泰岱青；沈沈夕照殷。於閑切亦黑色悵望田橫島，煙水空迷漫。

送友人往天平山看紅葉

送君天平去，去去看紅葉。不能同車行，我心獨憂悒。倘能攜贈我，一筐爲我拾。

海鷗

白鷗忽飛來；白鷗忽飛去。海闊與天空，故鄉在何處？

秋葉

樹葉兒，經秋霜。一半青；一半黃。樹無知，人自傷！

冬日青菜

濃霜打青菜，霜威空自嚴；不見菜葉死，翻教菜心甜。

菜花

菜花菜花開，蝴蝶蝴蝶飛。菜花開過了，蝴蝶還沒知！

春遊雜詩

七日放春假，六日出郊行；一日閉門坐，做得新詩成。

出門何所見？萋萋陌上草。含雨復含煙，做就愁多少？

爲羨釣魚樂，攜竿過小溪。夜來春水長，便覺石橋低。

離離墓上草，一歲一回青。如何墓中客，千年睡不醒？

一里兩里路；三家五家村。不信廿世紀，尙有羲皇人。

燕子亦勤儉，往來何辛苦；啣得陌頭泥，重把舊巢補。

芳草如碧玉；野花如黃金。不費一錢買，採來衣上簪。

淸天淨如洗，晚霞紅似烘；始知造物者，變化眞無窮。

買得筍一束，歸來煮爲羹；嘗過此滋味，方知酒肉腥。

俯仰遡觀察，能收實驗功；世間眞學問，原不在書中。

新禽言詩

割麥插禾

割麥插禾！好男兒，莫懶惰。好光陰，莫蹉跎。一春不種田，一年便錯過。快快工作，割麥插禾！

得過且過

得過且過！好吃懶做。歲暮天寒，忍凍受餓。得過且過，當初大錯！

姑惡

姑惡姑惡！幾時纔得解放，脫離束縛？姑也是人，婦也是人，姑見了婦，爲何要惡？試看他，小家庭，自由自在，何等快樂！

行不得也哥哥

行不得也哥哥！哥哥說：叫我做甚麽？我們要互助，你莫倚賴我。你如倚賴我，我倚賴那個？

不如歸去

不如歸去！耕田種樹。自耕自食，無憂無慮。只要努力保汝國，莫使欲歸歸不得。

提壺盧

提壺盧！酒可沽。將禁酒，欲何如？終日飲酒太糊塗。不如打破壺，有酒君莫沽！

蟲言詩

我前幾天，曾做了幾首新禽言詩。近來夜涼人靜的時候，常聽見唧唧的蟲聲，鳴個不住。因想起秋蟲春鳥，各鳴其時，鳥既有禽言詩，蟲也應該有蟲言詩。我因此便做了這幾首。

促織

促織促織！鳥催人耕；蟲催人織。鳥無福食粟；蟲不要衣帛。辛苦總爲人，可憐人不識。促織促織終夜鳴，有幾個懶婦聽得？

知了

知了知了！實在可笑！傳說有言：知易行難，言多不如言少。王陽明曰：知而不行，不是眞知道。孫中山曰：行易知難，不行怎說知了？如何言論大家只管開口亂叫！

叫哥哥

叫哥哥叫哥哥！哥哥哥哥說我親愛，嫂嫂嫌我話多；爺爺說我不是，媽媽又說我不錯。一團閒氣，到底爭些甚麼？大家庭制度，不如一拳打破！

明月照積雪

前天夜裏，忽然下了一場大雪。因記起沈歸愚道：於漢人得「前日風雪中，故人從此去。」兩句，於晉人得「傾耳無希聲，在月浩已潔。」兩句，於宋人（按指南朝宋）得「明月照積雪」一句，為千古詠雪之式。忽觸動了我的詩興，便用「明月照積雪」做首句，做成了這首新詩。

明月照積雪，中夜生光輝。樓臺變瑤玉，造化眞玄奇。粉飾終何用，不能禁朝暉。百事務外表，勞勞空爾爲。

遊蘇州留園

朝從上海來，暮返上海去；匆匆遊園，欲留留不住。

見園丁剪樹寫示江蘇二師學生

養樹去繁枝，立言去浮詞，悟得此中理，園丁是我師。

題張雪蕉爲蕭蛻公所畫山水

老屋掛山腰；懸崖壓屋頂。此中有幽人，閉門學高隱。羸驢馱輿客，上山復過嶺；來訪山中人，不爲山中景。

—— —○— ——

寄吳芳吉長沙

一書寄吳子，詩意近如何？遙知洞庭水，秋來將欲波。孤芳繼昌谷。幽憤弔汨羅；會心在千古，時論安足多！

君論詩，很推許李長吉；而我讀君湖船之睡游各詩，以爲出自離騷。君又主張不廢律詩；我說律詩必如王孟的五言，纔有可取的價值。今我這首詩，也可算是律詩麼？

借衣作客

借衣作客，格外修飾；忘却背後，短了一尺。

借米煮飯

借米煮飯，分與乞兒；同病相憐，他人不知。

蜉蝣學仙

蜉蝣學仙，益壽延年；能從今日，活到明天。

焦螟演戲

蚊子眼裏，新開戲園；焦螟演戲，看客三千。

燈蛾撲火

燈蛾撲火，光明誤了我；早知有太陽，決不大錯特錯！

藥無定方

藥無定方，對症爲良；未必人參，勝於砒霜。

盲人問路

盲人問路，南北東西；言者自言，知者不知。

續新禽言詩三首

婆餅焦

婆餅焦！媳婦喚婆婆來瞧。婆罵媳婦，媳婦心焦。我喫慣牛截與麵包，山東大餅不會烤！

脫却破袴

脫却破袴！拿上當舖；一家米糧，希望這條袴。怎奈當舖主人，搖頭不顧。

稽古

稽古！稽古！堯舜禹湯周文武。陳之又陳舊八股，可憐撐破秀才肚。忽然遇見羅與杜，羅素

杜威 你試看他氣鼓鼓！

鳩 以下譯詩

翩翩紅足鳩，一旦忽然歿。問汝何故死？或者爲幽鬱。可憐縛汝繩，是我親手結！原願永相愛，乃竟長相別。汝本住山林，那肯受抑屈。粒粒豆如珠，相對不能喫。

THE DOVE

I had a dove, and the sweet dove died;
And I have thought it died of grieving;
O, what could it grieve for? Its feet were tied
With a single thread of my own hand's weaving.
Sweet little red feet, why should you die?

Why should you leave me, sweet bird, why?
You lived alone in the forest tree;
Why, pretty thing, would you not live with me?
I kissed you oft, and gave you white peas;
Why not live sweetly, as in the green trees?

—*John Keats.*

燕子

翩翩雙燕子，飛飛到海涯。遊奇切 支韻 今年渡海去；明年帶春歸。待汝歸來日，知是冬盡時。
歷過一冬寒，便見三春暉。

THE SWALLOW

Fly away, fly away, over the sea,

Sun-loving swallow, for summer is done.
Come again, come again, come back to me,
Bringing the summer, and bringing the sun.
When you come hurrying home o'er the sea,
Then we are certain that winter is past;
Cloudy and cold though your pathway may be,
Summer and sunshine will follow you fast.

—*Christina G. Rossetti.*

百年歌

人生百年亦何爲？流星過眼浮雲飛。倏如電光散如浪；生如行客死乃歸。當年楡柳何青青，秋風一起皆凋零。莫問貴賤與老少，同埋黃土睡不醒。

THE SHORTNESS OF LIFE

Oh why should the spirit of mortal be proud?
Like a fast-flitting meteor, a fast-flying cloud,
A flash of the lightning, a break of the wave,
He passes from life to the rest of the grave:
The leaves of the oak and the willow shall fade,
Be scattered around and together be laid;
And the young and the old, and the low and the high,
Shall moulder to dust and together shall lie.

—*William* ***Knox.***

愛情

攝心如閉門，防我情奔逸。春風不解事，又送琴聲入。春暉淡蕩中，愛情爲我說：不讓我自由，便使汝心裂。

OVER THE ROOFS

I said, "I have shut my heart,
　As one shuts an open door,
That Love may starve therein
　And trouble me no more."

But over the roofs there came
　The wet new wind of May,
And a tune blew up from the curb
　Where the street-pianos play.

—— 胡懷琛詩歌叢稿 ——

My room was white with the sun
And Love cried out in me,
"I am strong, I will break your heart
Unless you set me free."

—*Sara Teasdale.*

按原文 wind of May 直譯應作五月風，或薰風。今以西國五月適當中國舊曆三月，仍爲春日，故譯作春風。不讓我自由之我字，是愛情自稱。

花子

春泥護花子，花子睡未已。雨聲喚之醒；春暉催之起。驚起看韶光，韶光一何美！

THE LITTLE PLANT

In the heart of a seed, buried deep, so deep!

A dear little plant lay fast asleep!
"Wake!" said the sunshine, "and creep to the light!"
"Wake!" said the voice of the raindrops bright.
The little plant heard and it rose to see
What the wonderful outside world might be!

—*Kate L. Brown.*

倩影

胸中倩影，強欲棄捐。
剪破春夢，使之不圓。
難耐寂寥，夢斷又連。
棄之去者，分明是君；
印我心者，君又其人。

短歌

REPLACEMENT

I drove your image out of my heart—
  The Man-That-I-Learned-Was-You.
I trampled my fondness underfoot
  And tore my dream in two,
But Life can bear no emptiness
  And dreams will always occur—
In the place whence I drove the Man-You-Are
  Dwells the Man-I-Thought-You-Were.

—*Viola Brothers Shore.*

當空發長矢，矢去如流電。臨風放浩歌，歌聲隨風散。誰知數年後，兩者皆可見：歌在情人心，矢在老樹幹。

THE ARROW AND THE SONG

I shot an arrow into the air.
　It fell to earth, I knew not where;
For, so swiftly it flew, the sight
　Could not follow it in its flight.

I breathed a song into the air.
　It fell to earth, I knew not where;
For who has sight so keen and strong
　That it can follow the flight of song?

Long, long afterward, in an oak,
I found the arrow still unbroke;
And the song, from beginning to end,
I found again in the heart of a friend.

—*H. W. Longfellow.*

按原文 friend 直譯應作友人，今譯爲情人，意味更深，想作者因爲押韻所以用 friend 字。若譯文可不必拘此。

晚秋

黃葉衰無力，搖落委荒土；一遇秋風來，猶作不平語。寒塘靜如睡，旅燕掠水飛。山童無一事，拾取枯枝歸。

LE DÉCLIN DE L'AUTOMNE

Voilà les feuilles sans sève

Qui tombent sur le gazon;
Voilà le vent qui s' 'élève
Et gèmit dans le vallon;
V.ilà l'errante hirondelle
Qui rase du bout de l'aile
L'eau dormante des marais;
Voilà l'enfant des chaumières
Qui glane sur les bruyeres
Le bois tombé des for êts.

—*A. de Lamartime.*

按這首是法國 A. de Lamartine. 著的，我不懂法文；是我朋友朱瘦桐把他逐字的譯出來，我再把他做成詩。朱君的法文很好，想譯得不至差誤。第六句初譯作「燕子掠水飛」。然原文的意思是「行蹤無定的燕子，他的尾梢掠過池塘裏睡眠著的水飛去」。譯文一個「掠」字，雖能表出「尾梢掠過」的意思；但「行蹤無定」的意思，沒有譯出。後來改作「旅燕掠水飛。」比較的更眞確了。

贈妻

流光何匆匆，倏忽拋人逝；閉眼一凝思，忽忽老將至。明知自今後，年華尙富麗；愛極覺日短，情深出言媚；爲此傷老詞，願君幸勿棄！絲絲額上紋，暗把歲華記。青青頭上髮，苦被霜花蔽。容貌縱已衰，愛情何曾替！縱有千萬言，難申一寸意。唇減去年紅，眸比去年滯；但入情人眼，不與去年異。豔福從何來？上帝特地賜。今後何所期？今後何所企？願見兒與孫，繞膝學遊戲。更願到那時，同採仙花穗；且待赴天國，拈花解妙諦。反老爲少年，恩愛萬千歲。

QUAND NOUS SERONS VIEUX

I

En fermant un peu les yeux

Le nous vois, moi déjà vieux
Et toi d'éjà presque vieille;
Ils seront loin, nos beaux jours,
Mais je te dirais toujours
Des mots très doux à l'oreille.

II

Ah! certes, l'on changera
Quand la vieillesse viendra
Avec Sou triste cortège:
Le temps ridera ton front
Et tes chev ux noirs seront
Comme saupoudrés de neige.

III

Ta taille s'alourdira—

Mais mon vieux cœur t'aimera
Plus que je ne puis le dire,
Car, malgré tes cheveux gris,
Ta lévre et tes yeux flétris
Auront le même sourire!

IV

Puis, si Dieu daigne benir
Les époux qu'il vient d'unir,
Il nous enverra ses anges
Et nous verrons, triomphant,
Les enfants de nos enfants
Begayer parmi leurs langes!
Mais en attendant demain,

Cueillons les fleurs du chemin,
Oubleux des immortelles;
Car, lorsque nous partirons,
La haut, nous rajeunirons
Pour des amours éternelles!

—*Th. Botrel.*

此詩同朱君瘦桐從法文譯出。

倘然

倘然我能尋得一神鑰，能開快樂之篋鎖與封；便將快樂散四海，人人面上有笑容。倘
然我能尋得此神篋，能容萬人不嫌仄；便驅愁人入此中，堅封固鎖不使出。更命巨靈
負之去，投入滄海最深處。

IF I KNEW

If I knew the box where the smiles are kept,
No matter how large the key,
Or strong the bolt, I would try so hard,
'Twould open, I know, for me.
Then over the land and sea broadcast,
I'd scatter the smiles to play,
That the children's faces might hold them fast
For many and many a day.
If I knew the box that was large enough
To hold all the frowns I meet,
I would like to gather them, every one,

From the nursery, school and street,
Then, holding and folding I'd pack them in,
And turning the monster key
I'd hire a giant to drop the box
Into the depths of the sea.

—*Anonymous.*

按此詩英國無名氏做的。原文思想和筆墨，絕似中國的李太白。我讀了很歡喜他，便絕力摹擬太白，把他譯出；只恐怕我的譯文仍不及他的原文罷。

荒墳

荒墳何寂寞！春秋自來去。不知有芳菲，那管風雪暮！垂楊長俯首，終日聽溪聲。清歌破寂寥，好鳥空自鳴。一任悲風號，墓中人無語；應是長眠客，愛此安樂土。

Such quiet has come to them,
  The Springs and Autumns pass,
Nor do they know if it be snow or daisies in the grass.
All day the birches bend to hear the river's undertone;
Across the hush a fluting thrush
  Sings evensong alone.
But down their dream there drifts no sound,
  The winds may sob and stir.
On the still breast of Peace they rest
  And they are glad of her.

—*Arthur Ketchum.*

按原文見胡適之嘗試集，原譯名墓門行。

迎春曲

春光來自天之涯，春花春鳥載滿車。謂春之神乘車而來春花春鳥從車中帶之來也春光來自天涯路，兒童歌詠迎春住。新泉汩汩聲清揚，萬花含笑何芬芳。春郊風和草色碧，一齊低首拜東皇。芳菲到處花爭發，鳥聲入耳何清越！朝暉駘蕩更宜人，眼前萬物皆和悅。於今冬盡雪已消，歡樂同來隨春潮。請君高唱迎春曲，開懷納取天賜福！

SPRINGTIME IS COMING

Springtime is coming, is coming again,
Bringing the flow'rs and birds in her train;
Children are singing the joyous refrain,
Springtime is on the way.
Gay little brooklets with gladness are humming,

Flow'rs rise to meet her and smile at her coming.
Fling to the breezes their mantle of green,
While all bow before her and hail her as queen.
Far in the woodland the flow'rs are astir,
Bird notes are ringing clear through the air,
Sunbeams are darting now here and now there,
Gladness is ev'rywhere.

Winter and snowtime are gone from the hillside,
Laughter and singing will come with the springtide,
Oh, lift your voice in the glad song of spring,
And open your heart to the joys she will bring.

案此歌英文原文。見黃任之考察教育日記第三集。今將原戳某君所譯大意附錄如左。

春來矣！花鳥偕至，兒童詠歌。樂哉樂哉！泉聲濺濺，花鳥迎人，青草覆地，羣待春來。林中花發，枝上鳥鳴。陽元照耀，萬物樂生。冬雪化，春潮來。笑聲雜歌聲。請君高唱迎春曲，開懷迎取天賜福。

擺倫哀希臘詩

擺倫哀希臘詩，前已有三種譯本：一馬君武，二蘇曼殊，三胡適之。三本各有長短，未可一例論也。民國十二年，余復取原文重譯一過，而與前三本均有不同。短長得失，余亦未敢知，讀者與原文對照，自當知之。余於原文一字一句，皆斟酌再三，力求不失原意；譯成之後，又屢易稿，自民國十二年六月至十三年一月，凡七閱月而始脫稿。讀者於此，亦可知譯事之不易矣。

其一

美哉希臘島！詩人之故鄉。武功與文治，二者皆所長。羲和與望舒，天神誕此邦；而今夏日永，荒荒空斜陽。

其二

美哉侁與佪！藝術之仙都。悲笳哀壯士；錦瑟彈名姝。繁華不自惜，棄之敝屣如。宗邦苦沈寂，文運已西徂。

其三

高山瞰平原，平原瞰大海。美哉馬拉頓，形勝依然在！行吟吾至此，猶復夢當初。覽彼波斯塚，寧甘身爲奴？

其四

雄主據高巖，俯視沙海濱：軍艦幾千艘；士卒億萬人。四境皆其土；率士皆其民。淩晨尙赫赫，日暮無復存。

其五

何處是遺黎？何處是故城？壯士悲歌歇，海濱何淒清！七絃入神妙，夙昔有令名；而今胡荒廢，撥指不成聲。

其六

威名一旦墮，舉族爲人奴。慷慨愛國士，掩面一長吁。嗟我行吟客，何以報故都？愧恨兩相并，一汗一淚珠。

其七

汝胡徒痛哭？汝胡長蒙恥？豈不念汝祖，爲國流血死？當年斯巴達，三百忠義士；但令百存一，能建新披里。

其八

萬籟靜無聲，惟聞羣鬼號；鬼聲作人語，幽壯如寒潮。若曰誰奮起，吾當助汝曹。生人獨無言，天地終寂寥。

其九

已矣復何言！囂囂徒自苦。爲君歌別曲，滿注杯中醑。讓彼突厥驕；羞與遊牧伍。試聽簫鼓喧，且赴貝凱舞。

其十

當日羽衣舞，而今依然存；當年常山陣，而今不復聞。民風日已靡；王業日以湮，堂堂佉摩書，胡遺汝懦人。

其十一

滿注杯中酒，國事勿復論。且談阿難詩，舉世無比倫。阿難事暴主，未必辱其身；暴主雖云暴，猶是同種人。

其十二

古昔有暴君，奮勇世無比。我獨慕斯人，名曰米爾底。今茲丁末運，誰復能如此？力能維紛崩，雖暴吾亦喜。

其十三

巍巍蘇里巖；悠悠般家岸。把酒此登臨，海灣橫一線。當年陀梨族，曾是此邦產；或有自由種，猶開花燦爛。

其十四

莫信法蘭克，其王如商民。仗汝自家劍；信汝自家人。試看突厥驕，與彼拉丁猾；縱汝兵盾堅，抵抗無餘力。

其十五

滿注杯中酒，酣舞深林下。明眸閃若漆，處女何妖冶！而我對美人，憂心獨難寫。慨汝飽食奴，熱淚長如瀉。

其十六

獨立修寧峽，巖石何崢嶸。空聽淒厲潮，伴我痛哭聲。高舉學鴻鵠，長歌終吾生。奴國何足戀，一擲傾沙明。

THE ISLES OF GREECE

I

The isles of Greece, the isles of Greece!
  Where burning Sappho loved and sung,
Where grew the arts of war and peace,
  Where Delos rose, and Phœbus sprung!
Eternal summer gilds them yet,
But all, except their sun, is set.

II

The Scian and the Teian muse,
  The hero's harp, the lover's lute,
Have found the fame your shores refuse:
  Their place of birth alone is mute
To sounds which echo further west
Than your sires' "Islands of the Blest."

III

The mountains look on Marathon—
　　And Marathon looks on the sea;
And musing there an hour alone,
　　I dream'd that Greece might still be free;
For standing on the Persians' grave,
I could not deem myself a slave.

IV

A king sate on the rocky brow
　　Which looks o'er sea-born Salamis;
And ships, by thousands, lay below,
　　And men in nations;—all were his!
He counted them at break of day—
And when the sun set, where were they?

V

And where are they? and where art thou,
　My country?　On thy voiceless shore
The heroic lay is tuneless now—
　The heroic bosom beats no more!
And must thy lyre, so long divine,
Degenerate into hands like mine?

VI

'Tis something, in the dearth of fame,
　Though link'd among a fetter'd race,
To feel at least a patriot's shame,
　Even as I sing, suffuse my face;
For what is left the poet here?
For Greeks a blush—for Greece a tear.

VII

Must *we* but weep o'er days more blest?
　Must *we* but blush?—Our fathers bled.
Earth! render back from out thy breast
　A remnant of our Spartan dead!
Of the three hundred grant but three,
To make a new Thermopylæ!

VIII

What, silent still? and silent all?
　Ah! no;—the voices of the dead
Sound like a distant torrent's fall,
　And answer, "Let one living head,
But one arise,—we come, we come!"
'Tis but the living who are dumb.

IX

In vain—in vain: strike other chords;
  Fill high the cup with Samian wine!
Leave battles to the Turkish hordes,
  And shed the blood of Scio's vine!
Hark! rising to the ignoble call—
How answers each bold Bacchanal!

X

You have the Pyrrhic dance as yet;
  Where is the Pyrrhic phalanx gone?
Of two such lessons, why forget
  The nobler and the manlier one?
You have letters Cadmus gave—
Think ye he meant them for a slave?

XI

Fill high the bowl with Samian wine!
    We will not think of themes like these!
It made Anacreon's song divine;
    He served—but served Polycrates,
A tyrant; but our masters then
Were still, at least, our countrymen.

XII

The tyrant of the Chersonese
    Was freedom's best and bravest friend;
That tyrant was Miltiades!
    Oh! that the present hour would lend
Another despot of the kind!
Such chains as his were sure to bind.

XIII

Fill high the bowl with Samian wine!
    On Suli's rock, and Parga's shore,
Exists the remnant of a line
    Such as the Doric mothers bore;
And there, perhaps, some seed is sown,
The Heracleidan blood might own.

XIV

Trust not for freedom to the Franks,
    They have a king who buys and sells,
In native swords and native ranks,
    The only hope of courage dwells:
But Turkish force, and Latin fraud,
Would break your shield, however broad.

XV

Fill high the bowl with Samian wine!
    Our virgins dance beneath the shade—
I see their glorious black eyes shine;
    But gazing on each glowing maid,
My own the burning teardrop laves,
To think such breasts must suckle slaves.

XVI

Place me on Sunium's marbled steep,
    Where nothing, save the waves and I,
May hear our mutual murmurs sweep;
    There, swan-like, let me sing and die:
A land of slaves shall ne'er be mine—
Dash down yon cup of Samian wine!

春怨詞

春怨

關着窗子睡覺，
打個春夢的草稿；
怕被燈知道，
索性把燈吹滅了。

寄劉大白

我是個有怨的人兒，
纔會做這首詞；

難道你也是個有怨的人麼，纔愛讀這首詞。
可憐多少快活的朋友，
讀了我這首春怨，都說是沒有意思。

答胡懷琛見寄

大白

一樣的春，在詩人的心裏偏覺得有怨；
一樣的春怨在詩人的詩裏偏能彀教人傳染。
也不是無端能傳染的，總有些相同的情感。
要是情感不同，便怨徧人間，也沒有傳染的危險。

一九二一，五，四，在杭州。

春夜聞雨

一點，兩點。
淅淅瀟瀟。
隔着玻璃窗子，
將我的夢打碎了，將我的心打碎了，
司雨的神呵！你爲甚麼夜裏也不睡覺？

靈魂

我的靈魂呵！你在那裏？
你守着我，我看不見你。
我所思的人，你總能看到；
我要去的地方，你總能走到。
但是你自己在那裏，我沒有知道。

小孩子的天眞

甚麽是愛情？他從來沒有知道。
只愛在媽媽懷裏睡覺；
又愛和爹爹玩笑。
隣家的女孩子，和他一般兒大小；
兩人做了小朋友，
一天也舍不得離掉。
他母親說：『介紹你們做夫婦。』
他說，『不要！不要！』

吊雲

雪呵！你這樣清，這樣潔。——
只是你孤高的情操，敵不過專制的太陽。
太陽出來了，你消滅了。
分明是白的雪，人家硬說你是黑的泥；
世上那裏有眞是非麼！

十二月十二日接某君自新加坡來信

天風海水，相隔着一萬里路。
珍重一信寄來，打頭先寫了橫行字。
信中說：「濃陰綠樹好風光。」
讀信的這邊，却正是風雪歲暮。
信中又說：「去國的時候，匆匆不曾相見。」

我也自悔蹉跎，誤了期約，便造成這樁恨事。
打着稿兒寫回信，先思量從那裏那裏寄。
信還沒有寫，我的心電已流到那邊去。

按詞中兩個「那裏」在一處，是有意重複的。

問愁

愁呵！我問你：
春光過去了，
你跟着春來，爲甚麼不跟着春去？
我有密打尺，量不出你有多少深淺；
我有顯微鏡，尋不出你躲在何處。
祗覺我的心窠兒，牢牢地被你佔住。

碧油油的芳草，白濛濛的柳絮，
都是你的化身麼？
為甚麼對景關情，我便要將你提起？

心中事

我要將我心中事說與你知道；
你要將你心中事，說與我知道。
費了幾番工夫，打了幾個草稿，
到底從那兒說起？
還是各悶在心裏，不知等到甚時發表。

上海大馬路上見飛機

「飛機！飛機！
你是鳥子麼？爲甚的在空中飛？」
飛行家說：「難道你們不是鳥子麼？
我看見黃浦灘的洋樓，南京路的市房，好像是鴿子籠；
你們一個個棲在籠中，
難道不是鳥子麼？」

贈郭沫若

一

我思慕你好久了，昨天纔得見面。
見面也沒甚麼，只是腦海中印了個照片。——
照片容易模糊，思慕仍不能忘。

朋友！
你說怎麼樣。

二

我要做我的新詩，你要做你的民謠。
放膽的文章，看誰人手高。
朋友！
你努力創造！

三

天生了你的才，纔能做你的詩；
天生了我的性情，纔能做我的詩。
旁人跟着我們走，可算是發癡。
朋友！

你說是不是？

四

「無論甚麼詩，無論甚麼人，
都可以做，只是難得好。」
你說得出，你見得到。
文章的三昧，這句話講完了。

相思

相思！相思！
相思的甚麼人？
分明相思着，却說不出。
春去了，菜花謝了；

秋來了，豆花開了。
一年年的相思你！
何必苦相思？相思不相見。
相見不如相思好！

雞冠花

秋到了！
雞冠花兒，得信偏早·
疏籬外開出一朵嬌小。
草木也將四時，報與人知道。
此後的風光，一天天冷峭。

秋夜

半明半暗的月；一絲兩絲的風。
一樣風和月；——
但伴着一片蟲聲，便知道是秋深了。

參看盲童學校

盲童盲童排排坐。
十個在右，八個在左。
我看見他，他不看見我。
他聽見我說話，問我來做甚麼？
我說來參觀。他說：「可可可」！！！

燕子

一絲絲的雨兒，一陣陣的風。
一個，兩個燕子，飛到西，飛到東。
我怎不能變個燕子，自由自在的飛去？
燕子說：「你自己束縛了自己，怎能望人家解放你？」

明月

「明月！明月！你爲甚的圓了又缺？」
月光露出半面，含笑向我說：
「圓時借着日光，缺時乃被地球隔。
我本來不明，又何曾滅。

他人擾擾，同我無涉。」

孤墳

芳草堆裏，一個孤墳。
連碑也斷了，那知道墳裏睡的甚麼人？
種菜的老人向我說：
「六十年前，這一帶都是華屋朱門。」
我說「百二十年前是怎樣？恐怕又是滿地荊榛！」

蠶豆花

桃花紅，菜花黃，好風光一片！
祇有蠶豆花兒，幽靜的藍色，沒人看見。

我知道了，他們千朵，萬朵，遮蓋了你一點，兩點。
你應該合羣力發揮容光；你不要將他入怨。

民國九年四月遊龍華；在路上看見這個景緻，生了這種感觸；把他隨便寫出來。但是我另外還有寄託。桃花朵花，便是比西洋的文化，豌豆花便是比中國的文化。

水中花影

行到小池邊，貪看那水中花影。
爲甚的不愛眞花愛假花？原來說眞，說假，都是無定。
你試看春光過了，便是眞花，也要凋零盡。
過眼總成空，眞假何須問。

有個學生，做春遊詩，中間有一首道：「爲看花影攪浮萍。楊柳絲絲照水青。莫道水中花是幻，眞花也是要飄零。」我說他這個意思，很深很妙。我把他略改了幾個字。又拿新體寫出來，覺得又是一種意味。

淸明日所見

三個，兩個兒童，放着輕氣球。
汽球的繩兒，還帶個靑蟲在上頭。
他便是乘球的人，向萬里長空作汗漫遊。

五年以前，我看見幽夢影裏有一句道：「枯葉帶虫飛。」我當時說道：倘使張山來生在今日，他一定要說：「蟬乘落葉如飛艇」了。今日又看見這個實景，更記起以前的理想來；因也將他記在這裏。

又我所說的輕汽球，是兒童玩物之一。

月（論文學也）

輕雲蔽月，
着了一層薄縠。

雲去月來，
赤裸裸的越可愛。

對鏡

「鏡中人！你是誰？
你在裏面做甚麼？」
鏡中人說：「你是誰？
你莫不是鏡中的我？」

一個蝴蝶

刺滇子也

一條毛蟲，
吃飽了，睡醒了。

着了好看的衣服，變個蝴蝶，
到外面去游玩了。——
但是春光過完了，
他沒有知道。

普陀山放生池上作

走過普濟寺，到了磐陀庵外。
看見半月形的放生池，
眞有半個月球般大。
我先找着觀音菩薩，
深深地一拜。
多謝他向魚兒，蝦兒說法。

不然，便要自己打起架來，
將一個放生池，鬧得變了個强權世界。

新秋詞寄劉大白

聞說秋天來了，
不知秋在那裏。
翻着曆本看看：
初八，初七，十二，十一：
到底沒有憑據——
不如去問問牽牛花，
或者能知道一點兒消息。

在電車上 并序

我看見某先生有一首「在電車上」的詩，我很喜歡；讀要算是我所見的新詩裏一首好詩了。我因此也做了這一首。

一

我也慣也三等車裏坐，
被擠着靠在玻璃門上，卻走不過。
我願努力扛着筆管兒，
將他打破！

二

我也偶在頭等車裏坐，
人少的時候還可伸着一隻脚臥；——

畢竟是身體舒服，靈魂不安妥。

勢利

一

有時我在三等電車裏坐，
賣票人對我兇不過。
有時我在頭等電車裏坐，
賣票人對我笑呵呵。

二

他還是他，我還是我。
爲甚麼兩樣的待遇？
只爲着銅板一個。

三

銅板的面孔，眞比地球還要大。
但是，這個銅板他自己受用麼？

銅板是上海方言，便是銅圓。大，上海土音讀作駝去聲。

贈香姪惠生

記得當初，我們都是兒童。
到如今你做了阿爹，我做了叔公。
十五年過得太匆匆！
回首兒時，好像在夢中。
但是眼前的光陰，還是一個夢。

死後的奮鬬

奮鬬！奮鬬！
為着人類！不是為我自己！
我受着環境的壓迫，
萬念都灰盡了可算已死了。
但是還要奮鬬。
奮鬬！奮鬬！
為着人類，不是為我自己！

弔范堯深君

我從沒做過輓詩；這是第一次。

我從此不做輓詩，這是末一次。
我不是借你出風頭，還我的詩才。
我也不是借你發牢騷，寫我的心事。
我明知你死了，聽不見我說話；
你的眼睛閉了，也看不見我寫的字；——
但是你的靈魂不死，應該知道我的意思！

舊歷新年雜感

一

聞說今年春更早，
巳匆匆一年過了。
你試着意看地球又老了多少！

二

困來獨上高樓，
望不見天盡頭，
已把新年換舊年，
怎不將新歡替舊愁？

三

匆匆過了人日，
又是元宵！
點綴風光燈市鬧，
任你舊曆除廢了，
看燈人何曾知道！

四

兔子燈兒大如狗，
鄰兒牽着沿街走；
忽然牽起我兒時舊夢，
此意怎生消受！

第三首「除廢」二字是故意如此的，不是「廢除」之誤。

空費了心思

費蘭克令空費了心思；
縱有千萬盞電燈，照不徧半個黑暗的世界。
瓦特空費了心思；
任你有輪船，火車，
那及我心靈走得快。

浮萍

外面青青背面紫，
水似美人你羅綺，
生就綠衣紅作裏。

毛詩云：「綠衣黃裏」第三句本此。

偶感

「小樓一角，書聲依舊……」
此是當年信中語。
當年已是悵當年，
何況今朝，怎說得盡當年如許？

當年信札還如舊，
當日書聲何處去？
後來也許再相逢，
總不及那時情味！

詩意

小燕子

小燕子還有母親；
我却沒有了！
我的幸福還比不上他哩！

春水

遠望着池塘裏的春水，分明都是綠的；
近看却又不綠了。

這綠色到底是有是無呢？

黑暗

羅綺叢中，笙歌隊裏，
縱有千萬盞電燈，我總覺得是黑暗。

早春見楊樹浦路上的楊柳

昨天來看你，還不過只有一點兒靑意；
今天來看你，已靑得多了。
一夜東風，不知從那裏帶了這許多綠色的顏料來，黨在你的椏枝上？
造物者的自然藝術，眞神妙極了，
豈不要令世上的畫師們愧死了麼？

哭

人家到了痛苦的時候，便要哭。
可見哭是痛苦了。
但是到了要哭却哭不出的時候，那更是苦。

微笑

微笑！似乎怕人家看見；人家也不敢正眼去看。
但是心中已默喻了。

他的眼淚

他的眼淚，比酒還濃；

我才嗅着，便已醉了。

快樂和眼淚

一點一滴的快樂，都是從眼淚中流出來的。

枕上聞雨

簷溜滴在木盆，裏好像是敲着木魚。
倘再加上誦經聲，便是我一年前在曇花寺裏寄宿時的光景了。

寂寞

熱鬧的城市裏，偏有寂寞的生涯。
滿街的人，却沒有人慰藉我。

好像躲在墳墓裏。
但使眞在墳墓裏到也安樂。

蒼藤

蒼藤繞在老樹幹上，挨次生着葉子。
樹幹好像是龍身，葉便是怒張的龍鱗了。
龍呵！你爲什麽不乘風飛去？

春郊偶感

自然的大手筆，替自然寫生。
太陽的光線是顏料，雨是水，風是刷子。
無論怎樣大的篇幅，一揮便成了。

寫成了作品，供給大家賞鑒；
自然不曾題個名字，說：「這是我的作品。」

愛情

我聽見人家說：「種瓜得瓜，種豆得豆。」
爲什麼種了愛情，
却不見他生苗，開花，結子呢？

上海東百老滙路上所見

三尺圓徑大的木桶，擱在大車上，六七個人拖着，也拖不動。
桶裏是甚麼呢？是煙葉子；拖到那裏去呢？拖到香烟製造廠裏去。
這幾車煙葉子，以前不知費了多少種植的工夫；以後不知費了多少製造的工夫；更不知要消耗多少貴族，富翁，浪子，平民，苦工的金錢。
他的結果是怎樣呢？只不過變做灰罷了！

夢

誰說年光不做倒流，
我昨夜偏夢見做小孩子。

好天氣

這麼好的天氣！沒有風，也沒有雨；雖然有太陽，却是很溫和的，一絲也不酷烈。
楊柳漸漸的靑了；藍色的野花也開了兩三點；畫眉鳥穿着鮮艷的衣服，立在樹枝上，
招呼他的同伴。
這麼好的天氣！可惜病人不能領略！

唉！我知道了！便使天沒有風，沒有雨；怎奈你心上有風，有雨；太陽本不酷烈，怎奈你心窩裏的愁太酷烈了。這麼好的天氣！怎樣能領畧呢？

世上的人

世上的人，爲着怕要餓死了，才去找飯喫；
但是爲着找飯喫，反送了他的性命。

春愁

一間精致的房子，本來是很高大的。
但是房子裏的空氣，都被春愁擠出去了；怎能叫房子裏的人不悶死呢？

人的累贅

我們有了身體，覺得很累贅；
好像是螺螄，負了一個又厚，又笨的殼。

上海平涼路上所見

一個紡織娘，名蟲從草裏飛到紗廠的牆上來。
「紡織娘！你來參觀麼？還是來作工呢？
須知你的生活，和他們不相干的。你作工，他們固然不要；你的生計，也不怕被他們侵略了。
你還是飛到草裏去罷！」

秋日上海黎平路上的晚景

晚潮漸漲，差不多浸沒蘆花頂了；

放鴨的童子，還在那邊岸上，怎樣能走過來呢？

月兒

月兒！
你不要單照在我的頭上，
請你照我的心罷！

柝聲

夜深了！
剝！剝！剝！賣白糖粥的柝聲，
敲破了靜中的神祕。

宇宙

天是空的，
地是圓的；
人脚立在圓滑的地球上，四無倚靠，
好危險啊！

孤飛的蝴蝶

「孤飛的蝴蝶！
有情人都成了眷屬，
你？」

錫絲

情絲是不是錫絲？
雖則甜蜜，
一黏在手上便膠住了，不得解脫！

同調

天涯，海角，
終必有個同調的人兒。
同調便是了，
何必要知道姓名的符號，
何必要認識面貌的偶像！

奮鬬的人啊

要錯也錯到底！
不要半途折回來。
奮鬬的人呵！
努力罷！

嫦娥

嫦娥看透了人心的險詐，
所以月球裏不要人居住。

安得智慧之火

剪不斷的愁絲，理不清的愁緒，
安得一把智慧之火，將他燒得乾淨。

金錢之斧

金錢之斧啊！
斵喪了藝術之苗，
剷除了道德之根。

愁的空氣

深深的浸在愁的空氣裏，
好像是魚在水裏總想游到水面上來透氣。

閒愁

胸中一段閒愁，爲甚麼說不出來？

倘然說得出來便不算是愁了。

秋蟲

可憐的秋蟲啊！
你莫自己輕視了自己，
甚麼屈靈均啊，杜少陵啊，……
也不過是和你一樣。

金雞心

掛在美人胸前的金雞心，
不知伊愛的是心呢，還是黃金。

快樂人

快樂的人啊！
你切莫回憶過去的事！

愉快的境界

莫思過去，
莫思未來，
這萬分之一的，一剎那的，無思慮的現在，
乃是最愉快的境界！

戀愛

人愛蝴蝶，是眞的愛麼？
在他做毛蟲的時候，見了他都有些害怕。
人愛蠶，是眞的愛麼？
在他吐完了絲以後便不愛惜蠶蛹了。
戀愛？
冷酷？

問

是有意呢，還是無意？
你明白說一聲罷！
「唉！一切的語言，一切的文字，
都不能說出我欲說的話！」

何等快樂

小孩子不知道世界有多少大，
以爲搖籃外沒有乾坤；
鄉下人不知道世界有多少大，
以爲田園外沒有城市：
是何等的快樂啊！

鄰居

左鄰是誰家呢？
是一所古尼菴。
右鄰是誰家呢？

是一座荒墳。
想不到在這荒涼寂寞的地方，
我那屋後的人家，
正吹吹打打的在那裏娶新娘子。

悲痛

說不出的蘊在心坎裏的悲痛，
却能從眼波中流出來。

知心的人

你莫怨沒有知心的人，
這却能保守你心地的祕密。

倘然

我倘有一付愛克斯光的眼鏡；
我便要戴起來，
看看世上的人們，
到底是誰醜誰美。

上帝

上帝倘然帶了着顏色的眼鏡，
他何曾知道這個世界上的眞相；
那麼審判的時候，便不得不有錯了。

上帝 其二

上帝啊！
你在審判的時候，可許人們請個律師辯護麽？

二千里外的礮彈

唉！我的心被二千里外的礮彈打碎了！

禿筆

一枝禿筆，
難道這便是我的財產麽？

贈瓶花

你是飄泊無根的花枝，
我將你向賣花人手裏買來。
我便欲送你歸去，
那裏是你的故鄉？
便養在我瓶裏罷！
到底是容易憔悴。

游龍華

好幾年沒到過龍華，
今天重跑來看看：
我還認識當年的桃花，
桃花已不認識我了！

和尚廟已重修過了，不是當年的剝落；
寶塔也重修過了，不是當年的頹廢。
只可憐，廟裏的鐘聲，和尚們是莫名其妙的敲；
塔上的鈴聲，也叫不醒遊人的春夢。

夢

夢啊！爲甚麽一霎時便醒了？
夢神說：「無妨！
醒了一重，還有一重哩！」

春夜

淸夜裏，聽見滴答的鐘擺聲，

知道他和我的心一樣。

盆裏的玉簪花

花盆裏的玉簪花，又抽出新的綠葉子了；
但是你可記得，當年種你的人麼？

故鄉

才蓋下了眼皮，便看見我的故鄉。
「故鄉啊！你倘能常常給我看見，我便終日不開眼了。」

我決不信

我決不信他已死了，

昨夜還和我在夢中談話！

腦筋

腦筋如影戲機器；
如今將往日所攝的舊片子，一幅一幅的，在這裏開演了。

司雨的神

「司雨的神啊！你爲甚麼不怕辛苦鎭日鎭夜的下雨呢？」
司雨的神道：
「這是我的眼淚；是禁不住的。」

春之神

「春啊！你便去了重來，我總認識你：
楊柳不是像去年一般的青麼？
菜花不是像去年一般的黃麼？」
春之神道：「啊呀！我幾乎不認識你了！」

舊事

舊事！還有甚麼存在的價值？
偏偏記在心上，抛也抛不去！

贈燕子

燕子！你回來了麼！
舊年去的時候，還是嬌雛；

今年來時。差不多就要做母親了。

金魚

誰說三尾子的金魚不知道沈悶，
他也要浮在水面上來嘆氣！

無形的毒箭

一枝無形的毒箭，射在我的心裏；
西醫檢査了一檢，却說是沒有病。

像浮萍一般

像浮萍一般的飄泊在空氣之海裏，

我不知向何處生根呀！

路上

無意中跟在伊背後頭走時，看見伊拿手整理着頭髮；
一霎那間，不期然而然的，我的眼光又移開了。

春之空氣

沈浸在如酒一般的春之空氣裏，
叫人家怎能不醉呢？

愁

我分明不是個啞了，

爲甚麼深藏在我心裏的事，總無法可說得出？

和小孩子遊戲

偶然蹲在地上，和小孩子們一起遊戲，
落實和他們是一樣的。
忽然立起身來，
怪我長成得這樣快！

買花

錢付了，
賣花的人管他去了！
花殘了，

買花的人將花丢了！
可憐伊同枝的姊妹，
還羡慕伊被人家看得中！

雞雛

雞雛未啄破蛋殼以前，
以爲殼以內便是宇宙了！

夜坐

獨坐在孤燈之下，
吱吱吱的老鼠打架聲，
能使我回憶做小孩子時，

聽人家講神怪故事的況味。

我的一生

我的一生，
譬如是一場影戲；
我自己也不能知道，
今後還有多少幕。

搖籃裏的況味

「小孩子啊！
搖籃裏的快樂，你可讓我享一刻麼？」
小孩子哭道：

「呱！呱！呱！」

文人與蠶

文人作文，如蠶吐絲一般的。
絲吐盡了，蠶便死了。
文思用盡了，人是怎樣呢？

車聲

沈默的夜裏，
聽見遠遠的火車聲。
車中的人，有幾個是歸故鄉？
幾個是到他鄉？

歸故鄉的，有人在這邊歡迎你們了！
到他鄉的，有人在那邊記念你們了！
我呢？我所期望的人，也來了麼？
或者暗暗地來了，也不給我一個消息。
車聲停了！想是車已進站了！
可憐這無窮無盡的長夜裏，
又是無邊無際的塞滿了「沈默！」

人生的一幕

簡單的言語，說不出心中欲說的話。
光陰一分一秒的過去，
一分一秒的催人離別。

這匆匆的片刻，
也就是人生的一幕。

鐘聲

隔院尼菴裏的晚鐘聲，
為甚麼敲得這樣的悲切？
一聲聲的催着春光去了！

雜感之一

當我的兒子患病的時候，
我在深夜裏撫着他，
不期然而然的，記起我的已死的母親來了。

雜感之二

世上的事，原如西洋鏡一般的。
聰明的人們啊！你固然不能不認眞，
然而又何妨當假的看看。

雜感之三

靜默中有無限的神祕，
我的心，只要我自己領會，
決不求他人知道。

雜感之四

鄰家樓上丁東的琴聲，
把我的心帶到三年前我聽琴的那個地方去了。

雜感之五

我的夢剛剛做完了。
在這萬籟無聲的夜裏，
算只有剝剝剝的賣湯糰的析聲，
來安慰我的岑寂。

雜感之六

我案上供着的觀音菩薩，
天天對着我。

在沈默中不知助了我多少文思！

雜感之七

倘使我做了司春之神，
我願意終年駐在人間。

雜感之八

愁來了，
便拿酒來澆。
可憐的人啊！
你可知道有酒醒燈闌的時候？

雜感之九

要糊塗便糊塗到底
要覺悟也便覺悟到底！
最痛苦的，
就是在這半路中間的人啊！

雜感之十

無怪他筆下寫不盡，
因爲他的血和淚，
都一點點的化作墨汁從筆管上流下來。

不能解決的問題

我有許多不能解決的問題，

只好請教夢神去解決罷!

婚姻簿

誰將那月下老人的婚姻簿，搶來燒了，
這是解決婚姻問題的第一良法。

冬夜的一瞥

他在嚴冬的夜裏，
做詩做到入神的時候，
不信墨筆已結了冰，
只說是鉛筆爲甚麼不黑了。

湖濱雜詩

這天晚上，
是我初次認識西湖，
也是我初次認識湖上的明月。

* * * * * *

保叔塔，
雷峯塔，
一瘦，一肥；
在夜色迷離中看見，
彷彿在夢中看見。

* * * * * *

再不要唱歌了！
恐怕許多的詩料，
這小艇兒如何載得起？

* * * * * *

夜深了，
爲甚麼不歸去？
只覺得西施的睡態，
比淡妝濃抹都好。

* * * * * *

不怕風露濕衣裳，
爲要襟袖間帶一點烟水氣。

* * * * * *

今夜喫西湖的菱角，
聯想到三年前吃鴛鴦湖的菱角；
口頭的滋味，
心頭的感想，
只有自家知道。

* * * * * *

。彷彿聽見有人在湖艇上吹簫；
回頭四望，
卻只見一片烟波無際。

* * * * * *

。早起，
開窗望見西湖，

正是西子曉妝的時候。

* * * * * *

。一片湖光

四圍山色，

這都是沒字的詩稿。

* * * * * *

從湖艇上望見雷峯塔，

一半還被曉烟遮住，

而保叔塔已婷婷的立在旭日光中了。

這也是造化點綴的本領。

* * * * * *

遊了一回三潭印月，

買得一束蓮蓬歸來；
在船上喫着，
今朝已嘗試蓮心的苦了。

* * * * * *

湖山太秀媚了，
應該有這樣一個莊嚴的岳王廟，
鎮壓在湖邊。

* * * * * *

碑帖店裏，
多賣着拓本的蘇東坡像；
然有幾人能唱他淡妝濃抹的佳句。

* * * * * *

雷峯塔下，
白蛇精的神話，
是絕妙的湖山點綴品，
可惜現在的人都不信了。

* * * * * *

這裏也是某莊，
那裏也是某莊，
各在西湖上硬佔了一席地；
但是我沒有閒工夫去遊玩了。

* * * * * *

這天的下午，
出去訪一個朋友，

和他談了半天的話。
到了夜裏，
我的心痛極了。
是西湖累得我如此麽？
還是我自己累了自己麽？

＊　＊　＊　＊　＊　＊

這一天早晨，
剛走到往靈隱寺的路上，
就聽見一聲鐘。
「唉！鐘聲！你喚不醒我的癡夢。」

＊　＊　＊　＊　＊　＊

車夫在半路上停下來喝着茶，

說道:「先生,大好的風景,爲甚麼不帶個照相鏡來?」
我們答道:「我們的眼睛,就是照相鏡。」

* * * * * *

「飛來峯!」我問你一句:
「你未必是眞的飛來,
也未必是假的飛來;
倘然說你是隕石,
你應該點頭罷!」

* * * * * *

唉!佛呀!
我已有些覺悟了,
卻沒有覺悟到底。

你有甚麽法子替我想？
你兀是在石壁上含笑不語，
「不語」便是你的答案罷！

* * * * * *

冷泉亭上，
有許多怕熱的遊客，
不愛冷泉，只愛喝着荷蘭水；
荷蘭水便驕傲一切。
冷泉還汩汩的流着。
「泉！誰說你知幾？」

（註）冷泉亭上，有吳芝瑛寫的對聯道：「有本者如是，知幾其神乎。」

* * * * * *

小池淺水，
養着無數的大魚，
人家都說：「這是魚樂國。」
唉！魚兒！你眞的樂嗎？
那就是你生長在這裏，
不曾知道世界上有江海。

* * * * * *

在葛嶺，蘇小墓，岳墳的那一帶，
添了個林和靖的放鶴亭；
神仙，美人，英雄，高士，點綴得恰好，
可算是無遺憾了。
但這許多不同的感想，

眞苦死了遊人呀！

* * * * * *

走到小青墓下，
來憑弔伊的艷跡，
然而有人說：
「小青沒有這個人，
不過將一個情字分析開來罷了。」
那麼，凡是有情的人，都是小青；
連我也是的。
唉！我自己灑淚弔自己罷！

* * * * * *

西湖！

匆匆的別你去了，
有許多沒遊到的地方，
待與山靈湖神訂個後約罷。
朋友！
匆匆的別你們去了，
卻和你們訂不得同遊的後約。

放歌

長嘯

民國十二年五六月間感時而作

長嘯一聲，
震得那黃鶴樓倒了。
看眼底紛紛世事，
只值得痛哭狂歌，亂喊，大叫！
萬衆齊心收不回旅大一片土。
官軍百萬，打不退臨城強盜。
神聖的代議士，

忒殺逍遙！
只知道法源寺裏，丁香花好。
那管得軍人如狼虎，盜賊如毛！
北京的政治舞臺上，
一齣逼宮短劇，
演得太無聊！
書生無力真堪笑！
恨不見五百志士，同死田橫島；
也沒有十萬強弩，射退浙江潮；
更尋不着呂洞賓，飄然同上巴陵道。
秋風偏早，
一夜吹得我頭白了！

彷徨

彷徨！
立在三叉路上。
往那一條路走呢？
任便那條路，都走得通，
前往！切莫觀望！

心

不用無線電，我的心能立刻周流全世界。
不用飛機，我的心能飛出天空外。
不用潛水艇，我的心能走入龍宮探寶貝。

不用愛克斯光，我的心能看透這世界的祕密。
不用讀歷史，我的心能與古人會。
不用長生藥，我的心千秋萬古不朽爛。
不用催眠術，我的心能感動一切的生物。
不用符咒，我的心能降服妖魔鬼怪。
我的心看無色，聽無聲，嗅無臭。
我的心小無內，大無外。
我的心凍不死，餓不壞。
情絲縛不住，砲彈打不碎。
我的心是怎樣一顆心呢？
我的心卽你的心，卽他的心，
卽一切人的心，卽一切生物的心。

不過他們自己汨沒了心靈罷。

自然的兒子

我們同是自然所生長的；
我們同是自然的兒子。
山嶽是兄弟，
海洋是姊妹，
天地是搖籃，
空氣是喝不盡的奶奶，
太陽是慈母的眼光，
風是慈母的歌聲：
自然的家庭，眞偉大啊！

自然的父母，眞慈愛啊！
爲甚麼我們小兄弟，常常相爭吵呢？
爲甚麼人要看不起牛馬？
爲甚麼雞要啄螞蟻？
爲甚麼智者要欺侮愚者？
爲甚麼富者要壓迫貧者？
爲甚麼強者要蹂躪弱者？
爲甚麼這一國的人，要侵掠那一國的人？
大家何不想想：
　大家都是自然的兒子麼？
大家何不想想：
　自然所供給我們的，是應該大家同享麼？

大家何不想想：
　兄弟都是平等麼？
大家獨不體貼自然之心麼？
　自然在那裏流淚了！

懺悔

（一）

我跪在上帝的面前，
向上帝懺悔：
　我本是個清潔高尙的人，
　竟幹了一些壞事！
　這也算不得十二分壞；

不過我的良心很不以爲然，
便算是壞事罷！
上帝啊！
請你饒恕我罷！

（二）

上帝！
我也不是甘心要幹這些壞事；
只不過被環境逼迫，而且引誘着，才幹了這些。
上帝啊！
請你原諒我罷！

（三）

上帝！

我死了以後，你摶土再造我的時候，
少放些聰明的原料在我的腦子裏罷！
那就可以減少我的罪惡了。
上帝啊！
你可允許我的要求？

（四）

上帝！
我畢竟是個懦弱者：
戰不勝環境，
反被環境征服了。
但是你要原諒我！
我就是有了這樣的武力，

我也沒有這樣的忍心，拿大刀闊斧去和可憐的人們奮鬭；
我雖是有了這樣的熱心，
然而像一顆熱彈丸，射在冰海裏，有甚麼效果？
上帝啊！
奮鬭和感化的能力都沒有了。
請你不要責備我罷！

（五）

上帝！
我的唯一的希望：
就是世上的人們，個個都能懺悔自己的罪惡；
那麼世界上便有一線的光明了！
在這沈沈的長夜裏，

你可以叫太陽早點出來麼？
上帝啊！

（六）

上帝！
在這長途的行程中，
你可以使我得到片刻的休息麼？
我疲倦極了！
好像是航海的人絕了糧；
好像是越沙漠的人絕了清水。
而迢迢的前途，還望不見我棲止之地；
在這長途的中間，又沒有休息的地方。
上帝啊！

你倘然是仁愛的，你應該原鑑我的苦况；
不但是我，你應該原鑑一切人們的苦况！

（七）

上帝！
你不要責備我不能奮鬬了；
我怎有這樣殘酷的心腸，看見人家流血呢？
你不要責備我不能感化他人了！
倘然世界上個個人能受感化，他們也不會把你釘在十字架上了。
上帝啊！
這話或者太荒謬了！

（八）

上帝！

我的唯一的希望：
還是人人都能懺悔他們的罪惡。
上帝！
我的上帝啊！

今樂府

初春

♩ = 104
寂寞園林正月半看梅花開謝了春
光暗到杏花梢還沒人知
道數光陰近花朝風猶勁寒未消楊
柳尚空條冒寒小鳥初試啾啁君
莫怨風光冷淡他却比濃春好

思故鄉

p
不禁思起 我之故鄉兒 時遊釣不 能
忘 不 禁思起 我 之故鄉天
涯烟水勞相 望 不 禁思起 我
之故鄉往 事回頭半 渺 茫 窗
前明月 屋 角斜陽至 今可是仍無 恙

踏青

♪ = 120
三 里 五里 一 程 半程雨
餘 試 作 郊 行 壓 肩 衣 薄 趁
意 鞋 輕 脚 跟 芳 草 鋪 平
問 春 短 陌 置 酒 長 亭 歸
來 趁 着 晚 晴 泥 沾 履 滑 草
染 裙 青 帶 了 春 光 進 城

賣花女

p
花朝過了清明 近了賣花時候 春
寒峭賣花人早賣花 聲俏買花人說花
兒巧 壓 鬢也要簪 襟也要折
枝 插入 磁 瓶好 剛 剛春到匆
匆春老一 春賣却花 多 少

江水

Andante.

千尺流水百里長 江烟波一片茫茫 離

情別意隨波流去不知流到何方

此歌五首.爲四年前所撰.其譜則吳夢非劉質平兩先生作也.當時所撰尚多.但歌譜今已失去.余不解音樂.無從補填.故并其歌亦不錄云.　胡懷琛記.

POETICAL WORKS OF H. C. HU

BY

HU HUAI CH'ÊN

1st ed., July, 1926

Price: $0.70, postage extra

THE COMMERCIAL PRESS, LIMITED

SHANGHAI, CHINA

中華民國十五年七月初版

（胡懷琛詩歌叢稿一册）

（每册定價大洋柒角）

（外埠酌加運費匯費）

著者 胡懷琛

發行者 商務印書館

印刷所 上海寶山路 商務印書館

總發行所 上海棋盤街中市 商務印書館

分售處 北京 天津 保定 奉天 吉林 龍江 濟南 太原 開封 西安 南京 杭州 蘭谿 安慶 蕪湖 南昌 九江 漢口 長沙 常德 衡州 重慶 成都 廈門 福州 廣州 潮州 香港 梧州 雲南 貴陽 張家口 新嘉坡 商務印書分館

四一一陸